L'opéra
des fous

Direction de collection
Jean-Luc Bizien

Romuald Giulivo

L'opéra des fous

LES MANUSCRITS D'ELFAÏSS

—————— TOME **2**——————

BAYARD JEUNESSE

*Pour ma mère, à qui je promets
depuis tant d'années l'étourdissement
des valses de Vienne,
et, bien sûr, pour mes freaks préférés,
Bruno et Tiou.*

Romuald Giulivo

Illustration de couverture : Antoine Ronzon

© Bayard Éditions Jeunesse, 2002
3, rue Bayard, 75008 Paris
ISBN : 2 747 00440 6
Dépôt légal : mars 2002

1

La sonnerie de reprise retentit dans le foyer de l'Opéra. Les discussions s'éteignirent, remplacées par le bruissement des robes de soirée sur le parquet du salon. Les spectateurs quittaient peu à peu les tables pour rejoindre leurs loges.

Valentin se leva.

– Où allez-vous ? lança Elsa d'un ton réprobateur. Vous pourriez m'attendre tout de même ! Je n'ai pas fini mon café.

Le garçon afficha un air surpris :

– Mais... le deuxième acte va commencer, nous allons manquer le début.

La jeune fille s'appuya contre le dossier de son siège et offrit son plus beau sourire. Elle était à Vienne depuis plus d'un mois maintenant, et ne s'était jamais sentie aussi bien. Par le passé, chacune de ses arrivées dans un nouveau pays l'avait angoissée. Son père, Sigismond de Costières, était systématiquement accaparé par son office de diplomate. Elsa se retrouvait alors seule, confrontée à une nouvelle maison, à de nouvelles habitudes. Mais, cette fois, Valentin, son précepteur, avait été du voyage. Sa compagnie avait rendu Elsa étrangement sereine.

– Nous avons tout notre temps, finit-elle par lâcher. Une deuxième sonnerie va nous prévenir d'ici cinq minutes... N'êtes-vous jamais venu à l'Opéra ?

Valentin resta de marbre. Il était habitué au caractère joueur et provocateur de son élève. Pourtant, le regard espiègle qu'elle posait sur lui à ce moment lui faisait perdre tous ses moyens.

– Je n'avais pas encore eu cette chance. Mes moyens financiers ne me l'ont jamais permis...

Elsa se leva, ramenant son châle d'un air dégagé sur ses épaules.

– Je comprends mieux l'excitation qui s'est emparée de vous depuis l'invitation de Frau Zamenkof ! Wagner, Wagner..., soupira-t-elle. Vous n'avez que ce mot à la bouche !

– *La Walkyrie* est sûrement l'une des plus grandes œuvres lyriques de tous les temps, s'insurgea le garçon. Pardonnez-moi d'avoir été aussi impatient, mais c'était l'un de mes rêves d'assister à une représentation...

Elsa soupira bruyamment :

– Eh bien, pour moi, c'est un cauchemar ! Wagner et sa musique m'ennuient à mourir ! Enfin, si on peut appeler cela de la musique... Quant à ses histoires, je n'y comprends rien !

– Peut-être auriez-vous dû parcourir le livret de l'opéra que je vous ai offert pour Noël...

La jeune fille comprit qu'elle venait de le vexer. L'ouvrage trônait en effet sur sa table de nuit depuis trois jours, et elle n'avait même pas daigné l'ouvrir. Elle se fit donc plus douce et se rapprocha pour lui murmurer à l'oreille :

– Excusez-moi. Je le lirai, je vous le promets.

Troublé, Valentin recula d'un pas. Il ne se cachait plus l'attirance qu'il ressentait pour Elsa, mais son rôle de précepteur l'obligeait à taire ses sentiments.

– Je crains qu'il soit trop tard, poursuivit-il. Mais, je vous en prie, essayez au moins de montrer un peu d'entrain. Ne serait-ce que pour ne pas froisser Frau Zamenkof.

– Peu m'importe ce que pense cette douairière ! maugréa Elsa en fronçant les sourcils.

– Mademoiselle, s'il vous plaît... Cessez de faire l'innocente ! La baronne est issue d'une famille de très haute noblesse, proche de la cour impériale. Votre père serait courroucé de tout manquement à l'étiquette.

– Encore cet argument imparable ! Mon père, toujours lui...

La voix du diplomate répondit en écho :

– Me voilà, mon enfant ! Me cherchais-tu ?

Sigismond de Costières se tenait, tout sourires, devant les jeunes gens. Il avait passé une main dans la poche de son veston, gonflant le torse d'un air satisfait. Il donnait son autre bras avec cérémonie à Frau Zamenkof.

L'ampleur de sa robe de soie bleue ne parvenait pas à dissimuler l'extrême maigreur de la baronne. Son visage mince surplombait un cou étroit, d'une longueur inélégante. Sa peau, presque translucide, semblait collée à même les os.

Elsa ne dit mot. Elle n'appréciait guère de voir son père s'afficher de la sorte avec une dame.

– *Diese verliebten !*[1] rit Sigismond en glissant un clin d'œil à Frau Zamenkof.

La jeune fille se raidit, le rouge aux joues.

– Vous voilà bien imaginatif, Père ! protesta-t-elle dans un allemand impeccable, langue qu'elle maîtrisait depuis ses années d'enfance passées à Berlin. Nous avions juste avec mon précepteur une discussion animée sur la valeur de la musique de ce Wagner.

– Mademoiselle est restée insensible à la beauté du premier acte, ajouta Valentin timidement. Je tentais de lui donner des éléments pour comprendre cet opéra et l'apprécier...

La baronne esquissa un sourire. Ses fines lèvres, à peine rosées, s'entrouvrirent :

– Ach, ma tendre Elsa ! Attendez la suite, et vous verrez combien votre charmant précepteur a raison.

Elsa serra les poings. Elle ne comptait plus les femmes qui avaient courtisé Sigismond. Souvent, ces dames tentaient d'assurer un rôle qui ne leur incombait pas. « Si Mère était encore là, pensa-t-elle amèrement, tout serait si différent... »

---

1. En allemand, cela signifie : *Ah, ces amoureux !*

– J'ai bien peur de m'ennuyer tout autant, rétorqua-t-elle sèchement. À moins que l'orchestre, las de cette fanfare, décide de jouer le *Don Giovanni* de Mozart !

Le diplomate se crispa. Il guetta la réponse de la baronne, jetant à sa fille un regard lourd de reproches. Mais Frau Zamenkof ne se départit pas de sa bonne humeur :

– Quelle jeune fille délicieuse... et quelle force de caractère ! Si seulement mon défunt mari avait pu m'offrir une enfant aussi exceptionnelle...

La deuxième sonnerie interrompit cette discussion. La vieille dame lâcha le bras de son invité et s'approcha d'Elsa.

– Me ferez-vous le plaisir de m'accompagner jusqu'à notre loge ? s'enquit-elle d'un ton suave. Je tenterai en quelques mots de soutenir les propos de Monsieur Bailly.

Elsa hésita un instant ; mais, avisant la mine autoritaire de son père, elle se résigna et emboîta le pas à Frau Zamenkof. Sigismond et Valentin les suivirent prestement à travers les couloirs de l'Opéra.

Ils longèrent les arcades qui surplombaient le monumental escalier d'honneur. Tout en marchant, Elsa s'absorba dans la contemplation des arches finement ciselées, des statues de marbre et des plafonds peints, qui donnaient à ce lieu l'allure d'un sanctuaire merveilleux. Elle observait du coin de l'œil ces couples pressés de regagner leurs places, ces mélomanes qui retenaient leur respiration dans une attente quasi religieuse. Les mots de la baronne, qui ne cessait de parler, ne lui parvenaient plus que comme une musique calme et monotone. Pourtant, une phrase la fit s'arrêter net.

– Que venez-vous de dire ? demanda-t-elle, surprise.

– Dans le deuxième acte, reprit Frau Zamenkof, le dieu Wotan, rendu fou par sa quête de puissance, condamne son fils à la mort. La lutte entre ce père et son fils est tragique !

Elsa en eut le souffle coupé. Elle se retourna lentement vers Valentin et lut dans le regard du jeune homme le reflet de son malaise. Les souvenirs douloureux de son aventure londonienne revinrent en bloc. Pour la première fois, elle repensa à Aleister Laughton, ce lord dément, prêt à tout pour posséder un grimoire ancien. Elle ne put s'empêcher de frémir en se rappelant la sauvagerie avec laquelle cet homme avait assassiné tous ceux qui s'étaient dressés sur son passage. Mais, surtout, elle ressentit une profonde tristesse. « Pauvre Valentin ! songea-t-elle. Oubliera-t-il un jour que ce monstre était le père qu'il avait tant cherché ? »

En regagnant sa place, la baronne jeta un coup d'œil sur la loge impériale, qui jouxtait la sienne. Elle était toujours vide.

– L'impératrice ne se montrera pas ce soir..., chuchota-t-elle à l'oreille du diplomate, assis à ses côtés.

Elle se tourna vers Elsa :

– Pourtant elle doit être en ville pour le bal du Kaiser, et c'est une fervente admiratrice de Wagner !

Mais la jeune fille ne l'entendait plus. La douce mélancolie qui emplissait ses sens depuis son arrivée à Vienne venait de se briser en mille éclats pour laisser place à une sombre inquiétude.

La lumière s'éteignit, et l'orchestre lança le prélude du deuxième acte.

Les voix puissantes des cuivres éclatèrent, annonciatrices de l'orage, et leur complainte résonna étrangement dans tout le corps d'Elsa. Cédant à une impulsion, elle saisit la main de Valentin au moment où le rideau se leva. Elle peinait à juguler le flux d'images que le récit de la baronne avait fait surgir. « Tout cela est du passé, soupira-t-elle. Il est mort, et ses mystères ont disparu avec lui. »

Elle inspira profondément et se concentra sur l'opéra. Peu à peu, elle se laissa emporter par les vagues de la musique, comprenant presque la fascination qu'exerçait ce drame sur l'auditoire. La partition était d'une réelle beauté, les notes obsédantes montaient comme la houle.

Son anxiété s'était muée en une tension inexplicable. Ses jambes tremblaient, sa main était crispée sur ses lunettes d'opéra. Elle avait l'étrange impression d'être observée. Comme guidée par une force invisible, elle pointa ses jumelles sur le lustre magistral.

C'est alors qu'elle vit la *chose*.

Sur le plafond peint où flottaient des anges éthérés se détachait une silhouette inquiétante.

Une forme y était accroupie, les bras pendant dans le vide. Était-ce un homme, ou une bête ?

Elsa ouvrit la bouche pour hurler... Un cri inhumain retentit soudain au cœur de la tempête musicale. Avant que quiconque comprenne ce qui se passait, la créature s'élança au bout d'une corde. Elle atterrit en un éclair dans la loge et se planta devant Frau Zamenkof, tel un félin à l'attaque.

Elsa écarquilla les yeux. C'était un homme, mais son allure était effrayante. Ses membres étaient agités de spasmes, son crâne rasé était couvert de protubérances anormales.

Les percussions tonnèrent. Le dément brandit un scalpel et frappa.

Paralysée, la jeune fille vit son père se jeter sur la baronne, offrant son corps comme bouclier. La lame s'enfonça dans l'abdomen du vieil homme, qui s'écroula au sol.

La musique s'arrêta brutalement et l'agresseur se crispa, à l'affût. Elsa ne pouvait détacher son regard de cette apparition cauchemardesque. Un sentiment de déjà-vu irradiait sa conscience. Elle frissonna

« J'ai l'impression de le connaître ! Quelque chose en lui m'est familier... »

À cet instant, le malade se précipita vers la sortie. D'une main, il arracha la porte de la loge et disparut dans les couloirs de l'Opéra.

Elsa mit plusieurs secondes à réagir.

– Père, père…, sanglota-t-elle en s'agenouillant aux côtés de Sigismond. Parlez-moi, je vous en prie !

2

La neige avait recouvert pendant la nuit le sol de la Reichratstrasse d'un épais manteau blanc. Les lampadaires étaient éteints depuis peu, et les tramways circulaient déjà sur l'avenue. Des piétons arpentaient les arcades, à l'abri du vent glacial. Ces personnages empreints de dignité, pour la plupart hauts fonctionnaires ou financiers, rejoignaient leurs bureaux. Quelques calèches s'aventuraient sur les pavés glissants, traçant leur route d'une ombre noire.

Elsa les suivait du regard jusqu'à ce qu'elles disparaissent dans la Ringstrasse, le boulevard qui faisait le tour de Vienne. Debout derrière la fenêtre de la chambre, elle observait l'activité extérieure à travers le filtre brunâtre de la vitre. La fatigue

engourdissait son corps, et ses yeux rougis la brû-
laient, mais son esprit était en éveil. Elle comptait
les voitures, détaillait les visages délavés des passants. Elle se concentrait sur ces exercices ano-
dins pour endiguer le flot de pensées qui menaçait
de la submerger.

À chaque fois qu'elle relâchait son attention,
ses nerfs se mettaient à vibrer comme les cordes
d'un violon sous le frottement de l'archet.

– Qui était ce désaxé à l'allure repoussante ?
murmura-t-elle une énième fois. Pourquoi ai-je
l'horrible impression de le connaître ?

Elsa devinait que la réponse à ses questions
se terrait au fond de sa conscience, refusant de se
dévoiler. Cependant, elle avait appris à se méfier
de son imagination : les cauchemars et les hallucinations qui avaient émaillé ses nuits londoniennes
jusqu'à la défaite d'Aleister Laughton avaient été
à la fois douloureux et trompeurs. Aussi avait-elle
lutté toute la nuit pour effacer de sa mémoire ce
visage effrayant ; sans y parvenir.

Laissant retomber le lourd rideau, Elsa s'écarta
de la vitre.

Elle se retourna et plissa les paupières. L'obscurité qui régnait dans la chambre du diplomate tranchait avec la lumière du dehors. La bougie posée sur la table de chevet mourait doucement, les derniers soubresauts de sa flamme dessinant des ombres mouvantes sur les murs.

Sigismond de Costières était profondément endormi.

Tremblante, la jeune fille s'approcha du lit. Elle contempla le visage serein de son père et lui prit délicatement la main.

– J'ai tellement eu peur pour vous ! dit-elle doucement.

Comme au sortir d'un rêve, Elsa essayait de se remémorer les événements de la veille.

Elle se souvenait d'avoir traversé les couloirs du Staatoper et d'être montée dans une voiture. Les lumières du Ring avaient défilé, chaque cahot arrachant une grimace de douleur au diplomate, qui pressait sa main contre sa chemise ensanglantée. La calèche s'était arrêtée devant la façade richement ornée de leur immeuble. Cinq minutes plus tard, Valentin entrait dans la chambre de M. de Costières, accompagné de Herr Brücke. Le docteur, par un heureux hasard, habitait l'étage au-dessus.

Les deux jeunes gens avaient patienté dans le salon, où ils avaient dû subir les gémissements de la baronne. Mais Elsa n'avait pas écouté : elle n'avait pas quitté la porte des yeux, jusqu'au moment où le médecin était sorti de la chambre du blessé.

— Il est hors de danger, murmura-t-elle en se rappelant les paroles du docteur. La lame n'a touché aucun organe vital. Il a besoin de beaucoup de repos.

— Mademoiselle...

Gudrun était apparue dans l'encadrement de la porte. Elsa rejoignit la servante sur le seuil.

— Le jour s'est levé, continua la domestique à mi-voix. Vous êtes bien pâle ! Vous devriez vous allonger...

— Merci, mais je n'ai vraiment pas sommeil.

La soubrette secoua la tête :

— Cessez de vous torturer ! Je m'occupe de tout maintenant. Allez au moins manger quelque chose en cuisine ! Monsieur Valentin vous y attend.

Elsa esquissa un sourire. Cela lui ferait du bien

de changer d'air. Elle posa donc un dernier regard sur Sigismond et s'en alla rejoindre son précepteur.

Le garçon était attablé devant un petit déjeuner gargantuesque auquel il n'avait pas touché. Il se tenait la tête entre les mains, en proie à de sombres réflexions. En entendant Elsa arriver, il se leva.

– Il va bien, ne vous inquiétez pas, fit-elle en devançant la question.

Rassuré, Valentin invita la jeune fille à s'installer.

Ils entretinrent longtemps un silence pesant, ponctué par le bruit des couverts. Chacun était absorbé par ses pensés, dévoré par ses interrogations.

– Que s'est-il réellement passé ? s'exclama enfin Elsa.

Valentin lissa d'une main ses traits tirés.

– Je me suis réveillé tôt ce matin, mais je ne voulais pas vous déranger, dit-il. J'espérais que vous aviez trouvé le sommeil. Alors, je suis allé dans un café à quelques rues d'ici. On n'y parlait que de l'événement d'hier soir. Tout le monde semble persuadé que c'est un coup des anarchistes...

– Les anarchistes ? Ces terroristes qui, avec leurs attentats, sèment le chaos dans toute l'Europe ?

– Ce n'est pas si simple, répondit le jeune homme, presque gêné. L'anarchie est une doctrine politique qui prône la liberté totale de chaque individu. Ses partisans militent pour mettre à bas toutes les formes d'autorité qui étouffent le peuple : les gouvernements, l'Église et la bourgeoisie. Malheureusement, certains d'entre eux pensent que, pour détruire le pouvoir, il faut assassiner les gens qui le détiennent.

Elsa secoua la tête, peu sûre de comprendre les doctes explications de son précepteur. De toute façon, elle avait du mal à croire que ces agitateurs soient responsables de l'agression contre Sigismond.

– Trouvez-vous que le monstre qui a failli tuer mon père avait l'allure d'un anarchiste ? demanda-t-elle, perplexe.

– Je ne sais pas, mais le bruit court que l'impératrice était visée. Comme elle était absente, le terroriste aurait choisi de s'attaquer à Frau Zamenkof. N'oubliez pas que sous ses airs mielleux, la baronne est une personne importante...

La sonnerie de la porte d'entrée interrompit

Valentin. Gudrun étant au chevet de Sigismond, il se leva pour ouvrir.

– Vous avez lu cela !

Frau Zamenkof se tenait sur le seuil de l'appartement de fonction. Elle brandissait le journal du matin.

– Quelle honte, quelle honte ! hurla-t-elle. Ce doktor est un fou dangereux !

Alarmée par ce vacarme, Elsa accourut. La baronne tenta de se contenir :

– Ma pauvre demoiselle ! Excusez-moi, je m'emporte. J'ai eu si peur hier soir ! Comment va votre père ?

– Vous avez entendu comme moi le médecin, rétorqua Elsa sèchement. La blessure est profonde, mais sans gravité. Il a besoin de sommeil et de calme. Il faut le laisser tranquille.

Sigismond n'aurait pas toléré que sa fille parle sur ce ton à la baronne. Cependant, le précepteur ne dit rien pour rattraper le comportement insolent de son élève. L'excentricité de Frau Zamenkof commençait à lui peser aussi.

Ce silence désarçonna quelque peu la vieille dame. Pourtant, elle se ressaisit vite.

– C'est l'édition du matin, fit-elle à voix basse en tendant le journal, tout y est raconté. Figurez-vous que le scélérat qui a voulu me tuer était un aliéné en fuite ! La police l'a retrouvé vers minuit devant le pavillon des agités.

Valentin fronça les sourcils :

– Un fou ? Un asile ? Et cette rumeur d'attentat anarchiste, alors ?

– Pensez-vous ! s'indigna la baronne. Comme si les menaces de ces criminels ne suffisaient pas à troubler le calme de la ville, nous donnons la responsabilité de la clinique psychiatrique à un illuminé ! Cet aliéniste est un incapable ! Savez-vous qu'il laisse ces fous dangereux – ses patients, comme il les appelle – se promener en toute liberté dans ses murs ? Pas étonnant que l'un d'eux ait fini par s'enfuir.

Valentin saisit l'exemplaire de *Die Zeit* et parcourut rapidement la une. Elsa s'était rapprochée pour lire par-dessus son épaule.

– Je comprends de moins en moins les lubies de l'impératrice ! tonnait Frau Zamenkof. Dire qu'elle est intervenue personnellement pour faire nommer ce Hongrois directeur de l'asile ! À l'en croire, ses méthodes sont plus humaines... Eh bien, on voit le résultat! Croyez-moi : je vais me charger de le renvoyer chez lui !

3

– Mes enfants, j'ai une faim de loup! Êtes-vous sûrs de ne rien vouloir manger?

Sigismond était installé dans son lit, le dos calé par deux gros oreillers. Il dévorait du regard le plateau-repas que Gudrun venait de déposer devant lui.

Assise à ses côtés, Elsa se réjouissait de le voir plein d'entrain, même si elle savait pertinemment qu'il forçait sa bonne humeur pour la rassurer.

Le visage du vieil homme était pâle et creusé par la fatigue. Il avait abandonné le journal après l'avoir parcouru d'un œil absent. Il n'avait fait aucun commentaire. Cette histoire d'aliéné semblait presque l'amuser.

– Merci, Monsieur de Costières, mais nous avons pris un solide petit déjeuner, dit Valentin en refermant la porte derrière la domestique. C'est vous qui avez besoin de forces.

Le diplomate passa une main sur le pansement qui recouvrait sa blessure :

– Ce n'est qu'une égratignure... Rien de comparable à ce que j'ai connu étant militaire ! Si vous n'êtes pas allergique aux souvenirs de guerre, je vous en raconterai quelques-uns ce soir, à mon retour de l'ambassade...

Elsa foudroya son père du regard.

– Quoi ? s'écria-t-elle. Vous croyez que je vais vous laisser partir au travail dès cette après-midi ? C'est hors de question !

– Comment ça ?

– Le docteur Brücke a formellement interdit que vous quittiez votre lit avant plusieurs jours ! Regardez-vous, Père, et cessez de jouer cette comédie d'ancien combattant ! Vous avez eu une chance inouïe de vous en tirer avec une blessure !

Le vieil homme ouvrit la bouche pour protester, mais il se tut en avisant les poings crispés de sa fille. Toute discussion était inutile.

– Bien, conclut Elsa, satisfaite. Je vais me préparer : je voudrais faire une course en ville.

Elle sortit sans plus de cérémonie.

– Un instant, murmura Sigismond à l'attention de Valentin, qui s'apprêtait à suivre son élève.

Le précepteur se retourna. M. de Costières avait changé de ton. Son air jovial avait disparu.

– Je vais être franc avec vous, continua-t-il avec sérieux. Étant cloué au lit, je ne vais pas pouvoir m'occuper de ma fille. Et je connais son caractère fougueux. Je vous demande donc de la surveiller. Ne me décevez pas...

Un peu plus tard, les deux jeunes gens longeaient la rue de l'université. Ils avaient relevé le col de leur manteau pour se protéger du vent glacial qui soufflait ce matin-là.

Elsa précédait Valentin de quelques pas, tentant d'évacuer sa mauvaise humeur. Elle s'en voulait d'avoir parlé aussi rudement à son père. Mais il fallait bien le convaincre de garder le lit. Elle était la seule à pouvoir le faire : il n'y avait personne d'autre pour veiller sur lui...

Elle attendit Valentin au coin de la Währingerstrasse.

– Vous ne me demandez pas où nous allons ? lança-t-elle d'un air taquin.

Songeant encore aux mises en garde de Sigismond, le garçon lui renvoya un sourire pâle :

– Non, puisque je le sais. Nous ne sommes plus qu'à quelques mètres de la clinique psychiatrique. Cela dit, je ne suis pas sûr que ce soit une très bonne idée.

Elsa planta son regard dans celui de son précepteur :

– Dois-je vous rappeler que mon père a failli mourir ? lança-t-elle. Je suis en droit d'en savoir un peu plus sur cet incident. Ce médecin n'a même pas eu la politesse de venir présenter ses excuses ! Je m'en vais donc les chercher par moi-même.

Elle se retourna et se remit en marche. « Et il y a ce fou, continua-t-elle intérieurement. Avant de vous en parler, je dois savoir si j'ai rêvé. »

Valentin soupira. Il comprenait combien sa tâche allait être difficile durant la convalescence de M. de Costières.

L'asile ressemblait à un manoir bourgeois ayant subi de nombreuses et étranges transformations. Les deux ailes qui le composaient étaient plantées au milieu d'un parc désert recouvert par la neige. Toutes les fenêtres avaient des barreaux, et la porte d'entrée était close par deux lourds vantaux de bois. Sans la plaque, où les mots *Psychatrische Klinik* étaient à peine lisibles, on aurait cru la propriété abandonnée.

– Il y a un tuyau acoustique, remarqua Valentin en désignant un orifice dans le mur d'enceinte. Il doit courir sous le jardin et mener à l'intérieur...

Elsa entendit sa voix résonner :

– Il y a quelqu'un ? Je suis Mademoiselle de Costières... Je souhaite parler au docteur Fliess.

Une vibration rauque venue des profondeurs de la terre lui répondit :

– Nein. Pas possible ! Pas de visiteur aujourd'hui. Herr doktor ne veut pas être dérangé !

– Comment cela, il ne veut pas être dérangé ? s'exclama la jeune fille. Mon père a été agressé **hier** soir par ce dément... J'exige de parler au directeur !

– Ach, je vais voir... Attendez.

Quelques minutes plus tard, la voix retentit de nouveau :

– Herr Fliess va vous recevoir.

Un colosse apparut sur le perron, vêtu uniquement d'un pantalon de coton et d'une blouse blanche. Il vint leur ouvrir la grille et les guida sans un mot jusqu'à l'entrée.

— Je vous prie de patienter, fit-il en désignant le canapé de cuir de la réception.

Les jeunes gens se gardèrent de formuler la moindre remarque. Ils s'assirent, le regard rivé sur la lourde porte de fer qui barrait l'accès au reste du bâtiment.

Cette dernière ne tarda pas à s'ouvrir sur un homme maigre et de haute stature.

Son apparence était bien intrigante.

Habillé entièrement de noir, il devait avoir une trentaine d'années. Pourtant il s'appuyait sur une canne, qu'il tenait dans sa main droite. Ses cheveux noirs étaient coiffés en arrière, et ses yeux étroits, brillant de vivacité, rappelaient ceux d'un rapace.

Il lissa sa barbe taillée avant d'incliner la tête.

— Fräulein de Costières... je suppose ? Docteur Joseph Fliess, directeur de cette clinique, dit-il avec un accent prononcé. Si vous voulez bien me suivre à mon cabinet... Nous y serons plus à l'aise pour discuter.

Le psychiatre verrouilla la porte derrière ses invités et s'engagea dans le couloir principal en claudiquant. À chacun de ses pas, le talon de sa chaussure droite claquait sur le sol avec un bruit mat.

« Il a un pied bot, pensa Elsa en détaillant le brodequin à l'épaisse semelle. Sûrement une malformation. Ou peut-être un accident ? »

Elle releva la tête et chercha la trace des aliénés, mais rien n'indiquait que cet endroit était un asile de fous. Seuls de rares infirmiers circulaient entre les cuisines, les salles de soins et les bureaux. Certains d'entre eux s'affairaient dans un grand salon vide.

– C'est la salle de détente, dit Fliess mystérieusement en invitant Elsa et Valentin à entrer dans son bureau. Les patients sont actuellement dans leurs chambres, à l'étage.

Le cabinet était de dimensions modestes. Une bibliothèque occupait tout un mur, et une table, envahie de statuettes anciennes, lui faisait face. Dans un coin, les visiteurs aperçurent un divan recouvert d'une couverture de cachemire.

Le docteur leur désigna deux chaises avant de s'asseoir dans son fauteuil.

– Tout d'abord, rassurez-moi sur l'état de santé de votre père, fit-il d'un air posé.

– Il n'a rien de grave, répondit la jeune fille. Il va s'en remettre.

– Croyez bien que je suis désolé de ne pas avoir pu venir moi-même aux nouvelles. Malheureusement, les policiers m'ont retenu toute la nuit et une partie de la journée... Ils partent à l'instant.

Il semblait sincère. Pourtant, il ne manifestait aucun signe de fatigue.

– Ont-ils trouvé comment votre patient s'était enfui ? demanda Elsa.

Fliess prit un cigare dans la boîte posée sur son bureau et l'alluma. Il s'adossa en soufflant la fumée avant de répondre.

– Non. Tout simplement parce que Stefan n'a pas pu s'échapper.

Les jeunes gens restèrent interdits devant cette affirmation.

– Écoutez-moi, Fräulein de Costières et Monsieur... ?

Valentin se redressa :

– Bailly, Valentin Bailly. Je suis le précepteur de Mademoiselle.

– Oui..., continua Fliess. Je permets certes à mes patients de quitter leur chambre quelques heures dans la journée, mais le reste du temps ils sont enfermés. Je fais une ronde chaque soir avant l'extinction des feux. Or, Stefan était bien dans sa cellule, hier.

– Comment s'est-il alors retrouvé à l'Opéra ? s'enquit Elsa.

– Je n'en ai pour le moment aucune idée. Cependant, je ne crois pas à une fugue. C'est non seulement impossible, mais aussi incompatible avec l'état mental de Stefan.

La jeune fille frémit. Le visage halluciné du fou était gravé dans sa mémoire.

– C'est tout de même lui qui a sauté du lustre et frappé mon père avec un scalpel ! lança-t-elle.

– Je ne prétends pas le contraire. Cependant, plusieurs détails m'intriguent. Tout d'abord, Stefan est très apathique, il n'a jamais fait aucune crise de violence. Deuxièmement, expliquez-moi comment mon patient, habillé d'un pyjama blanc, a pu rentrer dans l'Opéra sans être vu, puis se hisser dans sa cachette ? Et enfin, je ne suis pas chirurgien. Vous ne trouverez donc aucun scalpel dans cette clinique. Alors, d'où vient cette arme ?

Valentin était resté jusque-là silencieux, se contentant d'écouter le psychiatre. Ce médecin captivant faisait montre d'une admirable perspicacité.

– Vous pensez donc que quelqu'un a sorti Stefan de l'asile et l'a emmené à l'Opéra, osa-t-il. Mais qui ? Et pourquoi ?

Fliess gratifia le précepteur d'un sourire de connivence.

– Je compte bien le découvrir, souffla-t-il. Je vais mener ma propre enquête.

Elsa secoua la tête :

– Vous n'avez pas confiance dans la police ?

– Voyez-vous, Fräulein, je viens juste de prendre mes fonctions. Je tente d'appliquer à mes patients des traitements plus humains, et mes travaux dérangent. L'opinion préférait les méthodes pénitentiaires de l'ancien directeur. Ainsi cet accident est l'occasion rêvée pour mes détracteurs de me discréditer. Et certains d'entre eux sont très haut placés...

Cette fois-ci, ce fut Valentin qui adressa un regard entendu au docteur. Sa vie de bohème dans les rues de Paris lui avait appris que la police était bien souvent au service des nantis.

– Je ne comprends pas, intervint Elsa. Vous avez dit que votre patient n'était pas violent. Pourtant...

La gorge nouée par une étreinte invisible, elle fut incapable de finir. Elle réalisait maintenant qu'elle était venue ici pour se rassurer, pour confirmer la thèse de l'accident. Ainsi, elle aurait pu oublier cette désagréable impression de déjà-vu qu'elle avait ressentie en dévisageant le dément. Mais les propos de Joseph Fliess avaient réveillé son angoisse.

– Allons le voir, lança le docteur en se levant. Vous jugerez par vous-mêmes. Il ne ressemble en rien à ce monstre dont tout le monde doit parler à cette heure dans les cafés de la capitale...

Une rumeur sourde filtrait sous la porte qui barrait l'accès au couloir du deuxième étage. Fliess posa sa canne contre le mur, décrocha le trousseau de sa ceinture et glissa une clé dans la serrure. Quand le panneau s'ouvrit, le vacarme devint si insupportable qu'Elsa se mit instinctivement les mains sur les oreilles. C'était un concert de hurlements, où les phrases se mélangeaient aux cris et aux pleurs.

La jeune fille frissonna en découvrant un corridor sans fenêtre. Des rais de lumière perçaient l'obscurité à travers les judas des portes des cellules.

Le psychiatre invita les deux Français à le suivre.

Aussitôt, comme par magie, le silence se fit. On n'entendait plus que le bruit du pied bot de Fliess sur le carrelage. Puis, un battement retentit dans les cellules ; à mesure de leur progression, il s'amplifia. Les fous cognaient le sol, suivant le rythme des pas du docteur.

– C'est leur façon de me dire qu'ils sont contents de me voir, dit-il en se voulant rassurant. Ils font toujours ça.

Il continua à marcher normalement, jetant des coups d'œil rapides vers les cellules. Il s'immobilisa enfin devant l'une d'entre elles et regarda à travers le judas.

– Stefan, tu as de la visite...

Il s'écarta et tendit la main à Elsa :

– Vous pouvez lui parler, mais sachez qu'il ne vous répondra pas. Il est complètement renfermé sur lui-même. Je ne l'ai jamais entendu prononcer un seul mot.

La jeune fille s'approcha à contrecœur.

Les murs de la chambre étaient d'un blanc décrépi. Un garçon était assis sur le lit, les bras prisonniers de son vêtement.

– Je n'aime pas utiliser les camisoles de force, soupira Fliess. Je n'ai pas eu le choix... La police l'a exigé.

Elsa se rappelait la forme accroupie dans le lustre de l'Opéra, de l'aisance avec laquelle elle avait bondi dans la loge... Elle s'attendait à voir un homme grand et musclé. C'était un adolescent chétif et apathique qu'elle avait devant elle. Pourtant, elle reconnut bien l'agresseur de Sigismond aux multiples bosses sur son crâne rasé.

– Stefan ? balbutia-t-elle.

L'aliéné tourna alors lentement la tête vers elle.

Son visage aux traits creusés semblait aussi inanimé que celui d'une statue. Ses lèvres étaient si fines que sa bouche était presque invisible.

Elsa l'examina, sans retrouver le sentiment qui l'avait étreinte la veille... jusqu'à ce qu'elle croise son regard.

Deux yeux noirs étaient sertis au milieu de ce masque d'indifférence. Ils brillaient d'une lueur inquiétante, qui fit naître chez Elsa une angoisse inexplicable. Elle frémit et détourna la tête. « Je n'ai pas rêvé ! »

4

Joseph Fliess avait raccompagné ses deux visiteurs jusqu'à la grille.

– Revenez demain matin, proposa-t-il d'une voix déterminée.

Surpris, Valentin interrogea le psychiatre du regard.

– Je vous ferai visiter le reste des installations, reprit-il. Nous en profiterons pour continuer notre discussion. Nous n'avons pas beaucoup de temps pour trouver la solution de ce mystère...

Elsa se secoua pour sortir de sa léthargie.

– Nous ?

Fliess lui sourit :

– Fräulein, pourquoi êtes-vous venue ici ? N'est-ce pas parce que vous vouliez connaître les raisons de l'agression de votre père ?

Troublée, la jeune fille s'entendit répondre d'une voix lointaine :

– Si...

Le docteur s'appuya sur sa canne et se pencha légèrement vers elle :

– De mon côté, j'espère résoudre cette énigme avant que les autorités condamnent mon incompétence après une enquête bâclée. Nous avons donc tout intérêt à unir nos forces, ne croyez-vous pas ?

Valentin ne se fit pas de vain espoir. Il commençait à bien connaître son élève et devinait quelle serait sa réponse.

– D'accord, souffla Elsa.

Fliess hocha la tête.

– À demain, alors ! lança-t-il avant de retourner en boitant vers l'asile.

Elsa et Valentin se promenèrent longuement au hasard des ruelles de la Freyung. Ils errèrent en silence, fendant la foule qui emplissait ce quartier élégant. Puis, las de ce bruissement perpétuel, ils rejoignirent les bords du Danube et s'assirent sur un banc pour observer les patineurs qui glissaient sur la glace.

La jeune fille était incapable d'émettre le moindre son. Son imagination s'était emballée, tentant de s'expliquer les interrogations que ce docteur singulier avait soulevées. Fliess l'avait convaincue : son patient ne pouvait pas s'être enfui. Manipulé, le dément avait servi un obscur dessein. Était-ce un coup tordu des anarchistes, comme le prétendait la rumeur ? Les adversaires du directeur de l'asile avaient-ils organisé cette mascarade pour nuire à sa réputation ?

Valentin brisa ce silence pesant :

— Mademoiselle, je ne crois pas que la proposition du docteur Fliess plairait à Monsieur de Costières...

Elsa bondit.

— J'en ai assez de cette rengaine ! l'interrompit-elle. Cessez de répéter les mises en garde de mon père comme un perroquet... et, pour une fois, essayez de me comprendre ! Mon père a frôlé la mort ! Je veux trouver les responsables, et je veux qu'ils soient condamnés pour leurs actes... Et puis...

Elsa se retint de continuer. « Comment lui expliquer ? pensa-t-elle amèrement. Je ne comprends pas moi-même ce que j'ai vu dans le regard de ce fou... »

Elle posa une main sur l'épaule de son précepteur.

— Nous ne sommes pas seuls cette fois, dit-elle. Le docteur Fliess est là pour nous aider.

Valentin secoua la tête de dépit. Les paroles de la jeune fille l'avaient heurté plus qu'elle ne pouvait l'imaginer. Elle avait remarqué l'émoi qui le saisissait à chaque fois qu'elle le regardait fixement, ou l'effleurait. Mais quand cesserait-elle d'en jouer uniquement pour arriver à ses fins ? Quand comprendrait-elle la véritable nature des sentiments du garçon ?

— Très bien, fit-il à regret. Mais j'espère que vous êtes prête à assumer les conséquences de cette décision. Il nous faudra notamment mentir à Monsieur de Costières. Sinon, il s'opposera catégoriquement à cette enquête...

Valentin ferma les yeux en repensant aux dernières paroles de Sigismond. Il frémit à l'idée de perdre sa place. Cette éventualité lui était intolérable. La présence d'Elsa à ses côtés était ce qui comptait le plus : elle était tout ce qui lui restait. Son père à lui était bel et bien mort...

— Rentrons, s'il vous plaît, finit-il par murmurer. Le jour baisse.

Arrivée à l'appartement, Elsa attendit que son précepteur s'isole comme à son habitude pour écrire, et fila dans sa chambre. Elle s'agenouilla au pied du lit et tira d'en dessous une malle poussiéreuse, qu'elle caressa fébrilement avant de l'ouvrir.

Ses fleurets y étaient alignés, à côté de sa tenue d'escrime et de son masque.

Elle ne s'était pas entraînée une seule fois depuis son arrivée à Vienne. C'était comme si la compagnie de Valentin avait suffi à son bien-être, et lui faisait oublier toute l'énergie qu'elle dépensait jadis dans le maniement des armes. Mais ce soir, elle ressentait un besoin impérieux d'exercice. Elle s'habilla ; puis, après avoir écarté des meubles, se tourna vers la psyché. Elle salua son reflet dans le miroir et se mit en garde.

— Vous allez parler, Mademoiselle de Costières, ordonna-t-elle à son double, me dire à quoi vous fait penser ce dément...

Ses premiers pas furent hésitants ; mais très vite elle retrouva ses automatismes. À mesure que ses attaques s'enchaînaient, elle se prit au jeu. Elle était persuadée de livrer un combat à son propre esprit. Chacune de ses fentes était une tentative pour percer les zones d'ombre qui flottaient sur sa conscience. Qui était Stefan ? Quelle vérité se dissimulait dans son regard noir ? Ce garçon ne pouvait pas être un simple aliéné. Ses yeux paraissaient avoir contemplé des choses qui s'étaient à jamais gravées en lui. Aujourd'hui, Elsa n'avait vu qu'un enfant amorphe, mais à l'Opéra, elle l'avait pris pour un monstre...

La révélation la déconcentra. Elle se fendit brusquement, et sa lame heurta la glace, qui se brisa. Son image disparut en mille éclats.

– Il ressemblait à une créature *surnaturelle*..., haleta-t-elle.

Une heure plus tard, les deux jeunes gens dînaient dans la chambre de Sigismond. Gudrun avait déposé sur la table basse, installée pour l'occasion, plusieurs plats qui débordaient de nourriture. Elle avait servi tout le monde copieusement et s'était éclipsée.

Assis dans son lit, le diplomate avait dévoré tel un ogre le contenu de son assiette.

– J'ai eu tellement de visites que je n'ai pas eu le temps de m'ennuyer, lança-t-il après s'être essuyé la bouche. La baronne Zamenkof est restée longtemps à mon chevet pour me remercier. Et il y a eu ces policiers...

Tendue, Elsa n'avait pas avalé une bouchée.

– Que voulaient-ils ? demanda-t-elle.

– Ils m'ont expliqué dans le détail cette histoire de fou en cavale dont parlait le journal. Apparemment, le pauvre diable aurait profité du laxisme de ses gardiens pour s'enfuir. Le directeur de l'asile est – selon eux – d'une telle incompétence que l'aliéné a pu s'armer d'un scalpel et disparaître sans que personne s'en aperçoive. Pour le reste, ils font une enquête. Ils m'ont posé quelques questions... Enfin, rien de passionnant !

– Vous ne souhaitez pas en savoir plus ?

– À quoi bon ! gronda Sigismond. C'est un simple accident, et la police va faire le nécessaire pour que cela ne se reproduise pas à l'avenir. De toute façon, je serai sur pied dans quelques jours, et tout cela sera du passé ! Alors, pourquoi se tracasser ?

Elsa fut un instant tentée de raconter à son père son entrevue avec le docteur Fliess, mais elle baissa les yeux. Elle comprenait maintenant les paroles de son précepteur et se sentait honteuse. «Il ne voudra jamais que nous enquêtions, pensa-t-elle. Une fois lui a suffi... Il aurait trop peur que nous mettions nos vies en danger, comme à Londres!»

Ignorant tout des remords qui habitaient Elsa, le vieil homme se tourna vers le précepteur pour changer de sujet.

– Dites-moi, Valentin... Ma fille m'interdisant formellement de quitter le lit, j'ai bien peur de ne pas savoir comment occuper mes journées. J'avoue que je serais curieux de jeter un œil sur vos poèmes...

– C'est-à-dire..., balbutia le jeune homme. Je fais des essais, rien n'est finalisé...

Elsa sursauta :

– Ne l'écoutez pas! Il n'ose pas vous les montrer. J'ai déjà insisté! Je lui ai même offert pour Noël un nécessaire d'écriture afin qu'il prépare un manuscrit. Nous pourrions alors l'envoyer à un éditeur parisien. Mais Monsieur doute de son talent!

Le garçon rougit :

– Je ne souhaite pas pour le moment montrer mon travail. C'est trop personnel...

– Enfin, poursuivit Elsa, à quoi sert d'écrire si vous ne voulez pas que l'on vous lise ? Avez-vous donc si peur de vous livrer ?

Valentin inspira. Les reproches de son élève ne concernaient pas seulement sa poésie. Son côté mystérieux, sa volonté de ne pas se découvrir la dérangeaient, voire l'inquiétaient. Il le savait bien.

– Excusez-moi, Monsieur de Costières, mais je pense sincèrement que vous seriez déçu. Laissez-moi quelques jours, et je tâcherai de vous soumettre un texte. En attendant, je vais vous chercher un ouvrage de Gérard de Nerval. Il est bien meilleur poète que moi !

Elsa attendit le départ de son précepteur pour s'approcher de son père :

– Voulez-vous que je reste ici cette nuit ?

– Ce n'est pas la peine, sourit Sigismond en caressant le visage de sa fille. Je devrais dormir du sommeil du juste. Va te coucher. Tu m'as l'air aussi fatiguée que moi.

Elsa embrassa le vieil homme et gagna sa chambre.

Elle soupira en retrouvant le désordre qu'elle avait semé lors de son entraînement. Les éclats de miroir qui jonchaient le sol scintillaient à la lueur de sa chandelle.

Dans une semi-obscurité, elle entreprit de ramasser un à un les morceaux coupants en tâtonnant sur le sol. Elle aurait pu attendre le lendemain et demander à Gudrun de s'en charger, mais se concentrer sur cette corvée lui faisait du bien : pendant ce temps, elle ne pensait pas à Stefan. Elle arrivait presque à effacer de son esprit le regard enfiévré du fou.

Elle poursuivit sa tâche jusqu'à ce que la fatigue devienne intolérable. Elle recula alors vers son lit et se déshabilla. Elle moucha sa bougie et se glissa sous ses couvertures.

Son esprit commença à s'éteindre, s'enfonçant vers les profondeurs du sommeil. Pourtant, ses muscles la lançaient en crampes douloureuses. Son corps se rebellait, luttant contre la torpeur.

Elsa reconnut soudain ce mal étrange qui s'était emparé d'elle. C'était exactement ce qu'elle avait ressenti à Londres, à chaque fois qu'elle s'endormait, à chaque fois que son esprit s'emballait et que l'image d'Aleister Laughton la possédait.

« Les cauchemars ! Ils reviennent... »

Mais c'était trop tard. Elle plongeait déjà vers des abîmes de tourments.

Les flammes de dizaines de bougies éclairaient la cave d'une aura sinistre. Des machines, alignées le long des murs souillés, clignotaient de lumières inquiétantes. Des tuyaux translucides en sortaient, qui couraient sur le sol jusqu'à une table d'opération en métal.

Un homme était allongé là, ligoté aux montants. Sa tête était enserrée dans un casque effrayant où se rejoignaient tous les tubes.

– Stefan..., murmura Elsa depuis le seuil.

La jeune fille avança un pied nu sur une marche. Aussitôt, l'installation vrombit. Une voix puissante s'éleva comme par magie, chantant une complainte obsédante.

L'aliéné braqua un regard désespéré sur le fluide répugnant qui avait envahi les boyaux. Ils étaient maintenant agités de pulsations comme les entrailles d'une créature chimérique.

Elsa descendit une autre marche. Le chant enfla en une litanie cauchemardesque, à laquelle se joignirent les hurlements de Stefan. Le corps du fou s'était arc-bouté, ses membres étaient secoués de spasmes violents.

Une silhouette qui se dissimulait dans les ténèbres dardait sur Elsa un regard ardent.

— Comment avez-vous pu croire que vous réussiriez à m'arrêter ?

5

Elsa se réveilla la tête lourde, encore plus fatiguée qu'à son coucher. Malgré l'heure avancée, elle resta immobile sur son lit, en proie à de sinistres questions.

– Ça n'a rien à voir..., répéta-t-elle. Je suis juste nerveuse depuis l'accident de Père.

Pourtant, elle ne pouvait s'empêcher de songer à son aventure macabre sur les traces d'Aleister Laughton. Des cauchemars effrayants l'avaient alors hantée nuit après nuit, ébranlant sa raison. Le lord y était apparu sous la forme d'un pharaon aux facultés surnaturelles, et Elsa avait fini par confondre rêve et réalité. Elle avait donné foi aux délires du maniaque qui, obsédé par les sciences occultes, avait tué ses victimes selon un rituel cruel et obscur. Elle l'avait cru réellement doté de pouvoirs magiques.

– Jamais nous n'en avons eu la preuve, souffla-t-elle pour se rassurer. Mes songes n'étaient pas prémonitoires ! Avec toutes ces découvertes morbides, mon esprit avait divagué. Et c'est aujourd'hui la même chose : des hallucinations causées par mon imagination, rien de plus !

Ce disant, Elsa ne put réprimer un frisson. Ses délires nocturnes avaient parfois comporté une part de vérité, comme des présages. Elle se rappelait le masque d'or égyptien aperçu à Londres, dans le repaire de Laughton.

« C'était exactement le même que celui du pharaon de mes cauchemars. Et je l'avais vu en rêve bien avant de le trouver dans la crypte de ce dément... »

On frappa à la porte.

– Mademoiselle, je suis désolée de vous déranger, murmura Gudrun. Il est presque deux heures... Monsieur Valentin vous attend. Il dit que vous avez un rendez-vous en ville.

– Prévenez mon précepteur que j'arrive, répondit Elsa en revenant à la réalité.

La jeune fille attendit que la soubrette disparaisse pour se lever. En se préparant, elle se fit violence pour repousser l'angoisse sourde qui battait en son sein.

– Tout cela est ridicule, conclut-elle. Le docteur Fliess a sûrement déjà trouvé une explication à l'escapade de Stefan.

Comme la veille, le psychiatre vint les accueillir dans le hall d'entrée. Il affichait toujours le même air fiévreux et énergique, qui contrastait avec son handicap. Cette attitude réconforta Elsa. « Il a découvert quelque chose, et il est pressé de nous en informer », songea-t-elle. Pourtant, il entreprit de leur faire visiter le rez-de-chaussée de l'asile, sans dire un mot sur l'affaire qui les concernait. Pendant plus d'une heure, il ouvrit chaque porte, entra dans chaque pièce, décrivant d'une phrase sibylline ses installations.

– Six infirmiers travaillent à mes côtés ! dit-il en s'arrêtant enfin dans le couloir central. Trois d'entre eux assurent le fonctionnement de la clinique le jour, et les trois autres veillent la nuit sur les patients.

Les jeunes gens comprirent alors que cette visite guidée n'avait rien d'une présentation touristique : Fliess voulait leur prouver l'inviolabilité du bâtiment.

— Et par là ? s'enquit Valentin en désignant du doigt une porte de métal, au bout de l'allée.

L'aliéniste esquissa un sourire :

— La porte est blindée et comporte plusieurs serrures. De toute façon, la deuxième aile n'a pas d'ouverture sur l'extérieur, et pour cause...

— C'est-à-dire ? demanda Elsa, intriguée.

— C'est le quartier de haute sécurité. Avant mon arrivée, l'asile n'était rien de plus qu'une prison pour fous. L'ancien directeur utilisait exclusivement ces cellules, où les patients étaient enchaînés à leur couchette comme des bagnards. Mais tout cela, c'est du passé... L'accès en est condamné : j'ai symboliquement remis les clés à l'impératrice lors de mon arrivée !

— Vous connaissez Son Altesse ? s'étonna le précepteur.

— Ah ! Elisabeth..., soupira le docteur en levant les yeux au ciel. Une femme si belle et si intelligente !

Il s'arracha à sa rêverie.

– Je l'ai rencontré par deux fois, reprit-il. Il y a un an, j'ai profité de sa visite à l'asile de Budapest. Je suis rentré de force pour dénoncer les conditions de vie déplorables des internés. Malheureusement, des infirmiers m'ont attrapé presque aussitôt et mis dehors.

– Vous pensiez qu'elle aurait pu changer les choses ? l'interrogea Valentin.

– La reine est très attachée aux indigents. À l'occasion d'un de ses anniversaires, elle a demandé à l'empereur la construction d'une clinique moderne pour les malades mentaux. C'est d'ailleurs pour cela qu'elle m'a convoqué, il y a six mois. J'ai été surpris qu'elle se souvienne de moi. Figurez-vous qu'elle avait même lu le résumé de mes conférences à la faculté de médecine ! Elle m'a prié de venir m'installer à Vienne et de prendre la direction de l'asile, en attendant que le Steinhof, le nouvel hôpital, soit fini.

Après cet exposé, les deux Français comprenaient mieux la ferme volonté de Fliess de mener une enquête. Sa carrière était en jeu. Pour l'instant, il avait la protection de l'impératrice, mais celle-ci ne pourrait rien pour lui si la police le jugeait responsable de la fuite de Stefan.

Un concert de vociférations éclata soudain au deuxième étage. Elsa sursauta et leva la tête. Les infirmiers avaient ouvert la porte menant aux cellules des fous.

– C'est l'heure de la promenade en salle de détente, annonça le psychiatre en consultant sa montre. Pour des raisons de sécurité, je préférerais que vous soyez à l'écart pendant qu'on installe mes patients...

Il claudiqua jusqu'à son bureau et invita les jeunes gens à entrer.

– Je suis sûr que vous êtes maintenant d'accord avec moi, lança-t-il en fermant la porte. Stefan ne peut pas s'être enfui.

Elsa s'était assise, un peu effrayée par les cris des aliénés qui passaient dans le couloir.

– Mais c'est aussi impossible que quelqu'un ait enlevé votre malade ! remarqua-t-elle. Comment cet intrus aurait-il réussi à pénétrer ici, monter au deuxième étage, et délivrer Stefan pour l'emmener avec lui ? Tout cela sans alerter votre personnel !

Valentin se gratta la tête avant de parler à son tour.

– Avez-vous questionné vos infirmiers ?

– Ils sont hors de soupçons, affirma Fliess. Je les connais très bien : ce sont d'anciens élèves, qui ont accepté de me suivre à Vienne pour m'aider dans ma tâche. Bien sûr, j'ai questionné ceux qui étaient de garde lors de la fuite de Stefan. Ils n'ont rien noté d'anormal jusqu'à ce que la police nous ramène ce pauvre garçon, qui errait dans la rue.

– Mais enfin ! Stefan n'a pu disparaître par magie ! s'insurgea Elsa.

– Bien sûr que non, Fräulein ! Simplement, nous n'avons pas assez d'éléments pour comprendre comment celui qui l'a aidé a agi. Nous devons donc procéder autrement : en réfléchissant aux motivations de notre coupable...

– Vous suspectez quelqu'un ou... ?

La jeune fille s'arrêta net en entendant la voix qui résonnait dans le couloir. Stupéfaite, elle crispa les mains sur les accoudoirs de son siège. En un instant, la réalité se craquela autour d'elle comme un vieux tableau. Mais elle ne rêvait pas. « Ce chant..., songea-t-elle. Il ressemble à celui que j'ai entendu dans mon cauchemar ! »

Fliess se leva sans répondre à sa question et tendit l'oreille.

— Très bien ! s'exclama-t-il. Martha a commencé son récital. Suivez-moi, je voudrais vous montrer quelque chose...

Elsa eut la chair de poule en s'approchant de la salle de détente. La pièce ressemblait à un ancien lieu de réception qu'on aurait aménagé pour des invités un peu spéciaux. Il n'y avait pour tout mobilier que des bancs en bois le long des murs. Des grilles imposantes barraient les hautes fenêtres. Au fond, une femme énorme était juchée sur l'estrade, destinée normalement à accueillir un orchestre.

Fliess adressa un signe de tête aux deux infirmiers qui gardaient l'accès et s'arrêta à plusieurs mètres de l'entrée.

— Je préfère que nous restions à distance... Ne faites pas attention à l'aspect un peu effrayant de mes patients ; nous avons eu des problèmes de vermine et nous avons dû leur raser la tête.

Enroulée dans un drap, la femme ressemblait à une statue de marbre. Une main tendue vers le ciel, elle chantait d'une voix puissante. Les chuchotements et les cris des fous regroupés à ses pieds composaient une cacophonie obsédante. Certains applaudissaient, d'autres mimaient des postures guerrières pour participer au spectacle. Avec leur blouse blanche et leur crâne nu, ils ressemblaient à une peuplade étrange.

– Mais... que font-ils ? balbutia Elsa.

– Je ne parviens pas encore à comprendre cette manie collective..., répondit l'aliéniste. Dès qu'ils sont ensemble, ils se mettent à jouer des scènes d'opéra lyrique avec une incroyable ferveur.

La jeune fille sentait son cœur cogner sous son sein gauche. Les images de son cauchemar revenaient à son esprit. «Tu ne vas pas recommencer ! se réprimanda-t-elle. Tu as sûrement entendu cette femme hier dans sa cellule, sans y faire attention.»

– Tout cela est très intéressant, docteur, fit timidement Valentin, mais nous n'avons pas fini notre discussion. J'avais cru comprendre que vous aviez un suspect.

Fliess rouvrit les yeux, qu'il avait fermés pour mieux goûter le concert de ses patients.

– Vous ai-je dit que Stefan suivait des cours de peinture ? demanda-t-il, en désignant de sa canne un coin de la pièce. J'ai remarqué par le passé que les activités artistiques étaient bénéfiques pour les malades repliés sur eux-mêmes...

Stefan était assis sur un banc, le regard perdu dans le vide. Un homme en costume de ville installait devant lui un chevalet.

– Qui est-ce ? s'enquit Elsa en comprenant que le psychiatre venait de répondre à la question de son précepteur.

– Herr Werner Klaun, Fräulein. Il y a quelques mois, il s'est présenté à moi comme peintre et m'a demandé l'autorisation d'assister aux séances dans la salle de détente. Il souhaitait en faire le sujet d'un de ses tableaux. J'ai accepté, et bientôt je l'ai embauché. Je regrette maintenant de ne pas avoir demandé des lettres de recommandation...

Prenant garde de rester à couvert, la jeune fille examina l'artiste en détail. Il portait une longue redingote, qui retombait sur un pantalon à rayures. Ses cheveux noirs étaient broussailleux et sa barbe négligée ne parvenait pas à dissimuler la longue cicatrice écarlate qui barrait sa joue.

– Je subodore que ses activités ne sont pas toujours très recommandables, ajouta Fliess. Il faudrait en savoir plus sur lui...

Il cogna le sol de son pied bot :

– Cependant, je ne suis pas très doué en filature. Et je ne peux sortir de l'asile.

Il inspira profondément et fixa un à un les deux Français.

– Les malades retourneront en cellule dans une heure. Il y a un excellent salon de thé au bas de la rue, d'où l'on voit très bien l'entrée de la clinique...

Elsa inclina la tête en silence et entraîna Valentin vers la sortie.

– Revenez demain, lança le docteur dans leur dos. Et soyez prudents !

Valentin finissait son troisième café lorsque le peintre franchit la grille de l'asile. L'homme serra son carton à dessin sous son bras et s'engagea dans la Währingerstrasse.

Les deux jeunes gens réglèrent leur note et patientèrent jusqu'à ce que l'homme soit assez loin pour sortir sans se faire remarquer. Ils le suivirent à distance, se cachant derrière les voitures en stationnement, sous les porches des immeubles. Ils s'éloignaient peu à peu du centre. Les rues des faubourgs étaient plus désertes ; Elsa et Valentin, plus discrets. Ils attendaient que Klaun change de direction et rejoignaient en courant l'intersection où il venait de disparaître. Ils le guettaient alors, dissimulés au coin d'un bâtiment.

– La nuit commence à tomber, remarqua le précepteur. Et ce quartier n'a pas l'air fréquentable...

Agacée, Elsa se tourna vers lui :

– Taisez-vous, il va nous entendre !

Elle regarda de nouveau dans la ruelle ; mais elle eut beau fouiller les ombres du regard : le peintre avait disparu !

– C'est malin, enragea-t-elle. Nous l'avons perdu...

Valentin lui plaqua la main sur la bouche.

Werner Klaun sortait d'un immeuble à quelques mètres d'eux. Délesté de son encombrant colis, il tira derrière lui la grille du jardin et marcha jusqu'à un café aux vitres noircies. La porte s'ouvrit devant lui en libérant, au milieu des volutes de fumée, un individu à la tenue débraillée.

– Alors, Werner ? cria l'homme, passablement éméché. Comment vont les affaires ?

– Pour le mieux, répondit Klaun. Viens, c'est ma tournée ! Ce dément a fait exactement ce que j'attendais de lui. Et il recommencera... Il ne sait pas me résister !

Empoignant son compagnon de fortune par la manche, l'artiste s'engouffra dans la taverne.

6

– Elsa ! Revenez ici tout de suite !

Valentin courut pour rattraper la jeune fille, qui s'était élancée vers le café. Il la saisit fermement par le bras et la força à s'arrêter.

– Quoi ? cria-t-elle. Nous n'allons pas rester à l'extérieur ! Nous devons savoir qui est cet homme !

– C'est trop dangereux !

Le précepteur désigna la façade insalubre du café. À travers la crasse de la vitrine, on discernait les visages patibulaires des clients. Il n'y avait que des hommes, pressés les uns contre les autres dans la salle minuscule. Une chopine à la main, ils entretenaient des discussions animées. Soudain, l'un d'entre eux sembla remarquer une présence à l'extérieur et s'avança vers la sortie.

Le précepteur entraîna immédiatement Elsa de l'autre côté de la rue, à l'ombre d'une impasse.

L'individu passa la tête par l'entrebâillement de la porte. Il plissa les yeux et scruta longtemps les ténèbres du dehors, puis finit par rejoindre ses compagnons.

Valentin souffla en s'adossant au mur.

– Pourrais-je savoir ce qui se passe ? demanda Elsa, irritée. Quelque chose m'échappe...

Le garçon jeta un coup d'œil vers le café avant de répondre :

– C'est un lieu de réunion d'anarchistes.

– Comment le savez-vous ?

– L'enseigne... Saint-Pétersbourg. La première tentative de soulèvement a eu lieu dans la capitale des Russies. C'est depuis un nom de code, connu uniquement des membres du mouvement. Dans toutes les grandes villes d'Europe, il y a un café qui s'appelle ainsi. Un point de ralliement pour les nouveaux arrivants...

Elsa dévisagea Valentin d'un air inquisiteur. Ce n'étaient pas là les leçons d'un professeur, mais les dires de quelqu'un de très bien renseigné.

– Je vous expliquerai comment je sais tout ça,

balbutia-t-il. Mais pas maintenant. Ce n'est pas le moment...

Il se massait les tempes, réfléchissant intensément.

– Vous souvenez-vous des premières rumeurs que j'avais entendues au sujet de l'incident de l'Opéra ? finit-il par demander. L'hypothèse d'un attentat raté contre l'impératrice ?

– Klaun aurait... ?

– Le docteur Fliess nous a conseillé de nous intéresser aux motivations de notre coupable. Ce peintre est apparemment anarchiste, et il est en contact avec Stefan. Cela fait de lui un suspect idéal. De plus, vous avez entendu comme moi ce qu'il a dit en pénétrant dans le café : Stefan lui a obéi.

Elsa expira profondément. Pour la première fois de la journée, elle sentit l'emprise de son cauchemar se relâcher. Le psychiatre les avait mis sur la bonne piste !

– Que faisons-nous maintenant ?

– Nous devons réunir des preuves. Si ce Werner Klaun a effectivement enlevé et manipulé Stefan, il faut découvrir comment il s'y est pris. Cependant,

il est hors de question d'entrer dans cette taverne.
Alors...

Valentin se retourna vers le fond de l'impasse.

La demeure de l'artiste émergeait de la nuit.
C'était un ancien hôtel particulier ayant souffert
des affres du temps. Une atmosphère de désolation suintait des pierres vieillies de la façade, du
portail en bois vermoulu. À l'étage, les petites
vitres de la fenêtre étaient pour la plupart brisées.
Deux atlantes à l'anatomie incertaine flanquaient
le balcon. Ces silhouettes monstrueuses semblaient
flotter dans les ténèbres. Au-dessus, un œil-de-
bœuf perçait la toiture fragile qui coiffait le grenier.

– Dépêchons-nous ! fit le jeune homme. Klaun
ne passera pas la nuit à boire...

Elsa ne put réprimer un frisson en franchissant
le seuil. Les marches en marbre de l'escalier
étaient bancales, descellées. En montant, elle exa-
minait avec précaution les degrés avant de poser
un pied, persuadée qu'au moindre faux pas le sol
se déroberait pour la happer.

La serrure de la porte du premier étage, rongée
par la rouille, céda facilement. Valentin sortit de

sa poche un briquet d'étoupe, qu'il alluma avant de pousser le battant.

Une odeur de moisi émanait des murs cloqués par l'humidité, des lambris écaillés. Malgré l'épaisse poussière et les toiles d'araignées, le lieu paraissait habité. Un fatras de statues, d'ébauches de peinture et de tubes de couleurs y proliférait. Au fond, un atelier sommaire était aménagé : une paillasse à même le sol, un poêle...

Pendant que le garçon allumait une lampe à pétrole, Elsa s'approcha du chevalet installé devant un fauteuil vide. Elle discerna sur le tableau la forme svelte d'une esquisse et se sentit rougir. Le tableau figurait une femme entièrement dévêtue, assise dans une posture lascive.

— Il travaille à des nus...

Le précepteur la rejoignit. La flamme de la lampe révéla des détails inquiétants. Le dessin n'avait rien à voir avec les portraits des frêles jeunes filles peintes dans les académies classiques. L'artiste avait inscrit sur la toile la silhouette d'une vieille femme, la peau tendue sur les os. Les contours appuyés et les couleurs criardes semblaient traduire les sentiments du modèle.

– Étonnant ! souffla Valentin pour détendre l'ambiance. Avec un peu d'imagination, on reconnaîtrait presque la baronne Zamenkof ! La pauvre dame serait horrifiée si elle voyait cela !

Mais Elsa ne fut guère sensible à ce trait d'humour. Troublée, elle s'était tournée vers le mur recouvert d'esquisses. Des dizaines de femmes, de tous âges, étaient représentées. Et, à chaque fois, la même violence de traits, la même hardiesse au service des passions.

La voix de son précepteur la fit sursauter.

– Des tracts anarchistes... J'avais bien raison !

Le garçon avait ouvert une armoire branlante qui se dressait dans un coin. Il fouillait des piles de papiers à la recherche d'un indice.

– Rien que des rengaines classiques appelant à l'insurrection et à la révolution sociale ! Aucune preuve qu'ils aient tenté d'assassiner l'impératrice. Ils ont dû se résigner à ne pas revendiquer ce qui a été un échec...

– Ce bâtiment a bien un deuxième étage ? dit Elsa, intriguée. Je n'en vois nulle part l'entrée...

Valentin balaya la pièce du regard : aucun escalier. Soupçonneux, il fixa le meuble devant lui. Il le saisit à bras-le-corps et le fit pivoter, découvrant un passage et les premiers barreaux d'une échelle.

Un courant d'air glacial descendit des combles.

– Pourquoi dissimuler l'accès ? demanda Elsa.

Elle attrapa la main du garçon, qui était déjà en haut de l'échelle, pour s'aider à grimper. L'appréhension la gagna lorsqu'elle se trouva dans un long grenier étayé par des poutres.

Il y régnait un silence anormal. On aurait dû entendre le caquètement d'oiseaux qui avaient l'habitude de nicher sous les toits, le crissement des pattes d'insectes... Mais la vie semblait avoir déserté l'endroit.

Valentin tourna la tête de droite et de gauche. Il s'attendait à découvrir un bureau ou une salle de réunion secrète. Le lieu était pratiquement vide. Seules trois formes recouvertes chacune d'une couverture trônaient au centre de la pièce.

Elsa se rapprocha lentement. Elle saisit une des bâches, respira profondément et tira d'un coup sec.

– Mon Dieu ! souffla-t-elle.

Le tableau figurait une créature sortie tout droit des enfers. Le monstre bipède était penché en avant, dardant sur Elsa ses yeux globuleux. Sa gueule repoussante se moquait de la jeune fille comme s'il eût été vivant.

Secouée par un violent spasme de dégoût, Elsa arracha son regard de la toile. Pourtant, elle vit les écritures dans le coin inférieur.

– C'est sa signature..., haleta-t-elle. Werner Klaun.

Elle tendit une main fébrile vers le deuxième chevalet. Mais Valentin la retint.

– Mademoiselle, il faut y aller ! la somma-t-il. Il peut revenir d'un instant à l'autre. Nous n'en apprendrons pas plus...

Ils remirent tout en place dans l'atelier avant de rejoindre la rue.

Valentin attendit d'être loin du café pour parler :

– Cet homme est sûrement aussi malsain que ses peintures. Nous n'avons pas trouvé de preuve, mais il doit être assez tordu pour avoir imaginé d'utiliser un fou dans une tentative d'assassinat ! Le docteur Fliess aura une idée pour continuer l'enquête...

Elsa se contenta de hocher la tête. Glacée, elle s'emmitoufla dans son manteau. Elle s'attachait à repousser le visage terrifiant de la créature.

Comme la veille, les jeunes gens dînèrent dans la chambre de Sigismond. Le diplomate n'était guère bavard. La lecture du livre que lui avait prêté Valentin l'avait captivé toute la journée, et il semblait pressé de continuer.

Ils se quittèrent vers dix heures. Percevant l'angoisse qui rongeait Elsa, Valentin l'accompagna jusqu'à la porte de sa chambre.

– Notre journée a été éprouvante, dit-il. L'asile, les fous, l'atelier d'un artiste morbide... Tout cela est un peu effrayant, mais ne vous inquiétez pas. Nous tenons notre coupable, et l'affaire sera bientôt réglée. Nous n'aurons plus à fréquenter ce genre d'endroits...

– Je suis juste très fatiguée, mentit-elle.

Une fois seule, Elsa se dévêtit, passa sa robe de chambre et s'assit au bord de son lit. Pendant tout le repas, elle n'avait cessé de s'interroger. Elle ne niait pas les propos de son précepteur : Klaun avait sans doute enlevé cet aliéné pour lui faire perpétrer un attentat anarchiste. Mais elle ne pouvait chasser la peur qui lui nouait le ventre. Le regard de Stefan, le portrait de cette créature innommable, son rêve de la nuit précédente... Elle avait l'impression qu'un sixième sens attirait son attention sur un secret profondément enfoui.

– Dois-je en parler à Valentin? murmura-t-elle en s'allongeant. Ce ne sont que des intuitions... Il se moquerait de moi, et il aurait sûrement raison.

Presque rassurée, Elsa se laissa happer par le sommeil. Le cauchemar la saisit comme une proie sans défense.

L'invocation maléfique montait en vagues stridentes du cœur des machines. Leur chant macabre faisait palpiter en rythme les flammes des bougies, dessinant des ombres inquiétantes sur les murs de la cave.

Plaqué sur la table d'opération, Stefan hurlait de douleur.

Des mouvements, tout d'abord imperceptibles, le parcoururent. Puis, peu à peu, il enfla en des contractions ignobles. Sa peau se distendait, changeait de couleur. Ses membres mutaient en des appendices inhumains.

« Quelle horreur, il se transforme ! »

La chose s'arracha de ses liens, et d'une patte monstrueuse fit voler son heaume en éclats.

La créature du tableau de Klaun se leva, bien réelle.

Elsa aurait dû s'enfuir, mais elle restait là, sur les marches, paralysée. Le monstre tendit son bras anormalement long et effleura le visage de la jeune fille en gargouillant.

– Non !

La voix était celle de la silhouette de ténèbres qui se tenait en retrait.

– Son heure n'est pas encore venue, ricana-t-elle en se découvrant.

Le pharaon était sorti de l'ombre. Derrière le masque d'or, son regard brillait de milles feux. Il caressa de la main l'épais grimoire glissé sous son bras.

– Bientôt... Bientôt vous serez des nôtres !

7

Elsa accueillit comme une bénédiction les premières lueurs de l'aube. Pourtant, aucun rayon du
soleil ne réussissait à percer la couverture nua-
geuse pour venir réchauffer sa peau. Elle gisait
dans ses draps trempés par la sueur, semblable
à un naufragé rejeté par la tempête sur une plage
déserte.

– Je n'avais pas rêvé d'Aleister Laughton depuis
sa mort..., balbutia-t-elle.

Elle pressa ses mains sur son visage, cherchant
à comprendre pourquoi le lord avec son costume
de pharaon avait refait surface dans sa mémoire.
C'était comme si son esprit, à travers des transes
nocturnes, lui livrait une explication effrayante
aux détails qu'elle seule avait remarqués depuis le
début de cette enquête.

– Non, il n'est pas responsable de tout cela. Ce n'est pas possible... Il est mort ! Je l'ai vu tomber !

Mais elle se rappelait bien les explications de Scotland Yard, au lendemain de cette bataille tragique sur le Tower Bridge. Le domicile de Laughton avait été retrouvé vide. Les poupées qu'il façonnait à l'effigie de ses victimes, les ouvrages de sa bibliothèque : tout avait disparu comme par magie !

Aleister avait-il survécu à sa chute ? Était-il à Vienne, tramant un autre de ses plans machiavéliques ?

Elsa se raidit : dans son rêve, le pharaon serrait un livre contre lui. Or, le lord avait tué pour s'emparer d'un grimoire magique. Les *Manuscrits d'Elfaïss* devaient, selon son journal, lui assurer des pouvoirs incommensurables.

« Est-ce que je vois dans mes songes ses nouveaux crimes ? Grâce à la lecture de cet incunable, peut-il maintenant transformer des gens en créatures d'un autre monde ? »

La jeune fille se mordit les lèvres. La terreur faisait déraper son raisonnement dans l'absurde. « Je ne dois pas me laisser emporter par mes délires !

Je suis en train de construire une histoire de toutes pièces ! Tout cela parce que j'ai été inquiétée par l'allure de Stefan et par la peinture de Klaun ! »

Elle se leva et se prépara. Ses gestes étaient peu assurés, ses mains tremblaient. Elle ne parvenait pas à écarter le souvenir d'Aleister Laughton.

— Je suis ridicule, dit-elle en se forçant à sourire. Rien de si fou ne se cache derrière cette histoire. Werner Klaun est un anarchiste et il a enlevé Stefan pour lui faire assassiner l'impératrice... C'est tout ! Le docteur Fliess va nous aider à le prouver.

Mais sa voix sonnait faux. Elle s'habilla rapidement et sortit.

— Je ne peux plus garder ces cauchemars pour moi, murmura-t-elle en frappant à la chambre de Valentin. Sinon, je ne vais pas tarder à devenir folle !

Le précepteur lui ouvrit, l'air hagard.

— Mademoiselle ? balbutia-t-il en se frottant les yeux. Que... ?

— Je dois vous parler, le coupa Elsa avant que le courage ne l'abandonne. Puis-je entrer ?

Surpris, Valentin se contenta d'acquiescer d'un signe de tête. Il recula, et, semblant se rendre compte du désordre qui régnait dans la pièce, il poussa une pile de linge sale sous son lit.

— Je vous en prie, asseyez-vous, dit-il en désignant une chaise après l'avoir débarrassée de plusieurs livres. Veuillez m'excuser, je ne m'attendais pas à votre visite de si bonne heure.

Il se laissa tomber dans son fauteuil. Ses traits étaient tirés, son costume chiffonné. La cire de plusieurs bougies s'était répandue sur son bureau. La corbeille débordait de feuilles de papier froissées.

— Vous n'avez pas dormi ? s'enquit Elsa en notant que les draps n'étaient pas défaits.

— J'ai travaillé une bonne partie de la nuit... J'ai dû m'assoupir à ma table, répondit-il, gêné.

La jeune fille inspira profondément. Elle hésitait, craignant la réaction de Valentin. Il avait toujours refusé de parler d'Aleister Laughton, d'évoquer la douleur qui l'habitait depuis qu'il avait découvert l'identité de ce père tant recherché.

— Ne m'en veuillez pas, prévint-elle en le fixant. Je vais réveiller un sujet pénible.

Le garçon resta impassible. Il attrapa un ruban de soie dans sa poche et noua en catogan ses longs cheveux blancs.

– Nous n'avons jamais reparlé de notre aventure à Londres, poursuivit Elsa. Or, il y a des choses que je vous avais cachées. Je souhaiterais vous expliquer aujourd'hui pourquoi je croyais le lord doué de pouvoirs magiques...

Elle avait évité de prononcer le nom de Laughton, comme s'il avait été un démon que l'on pourrait invoquer.

Elle s'assura de l'attention de son précepteur et commença son récit. D'une voix fiévreuse, elle tenta de décrire ce mal qui avait contaminé ses nuits londoniennes. À mesure qu'elle racontait ses cauchemars passés, une boule d'angoisse grossissait sous sa poitrine. Elle aurait dû se sentir soulagée de livrer ce secret pesant, au lieu de cela elle était effrayée. Ses souvenirs étaient si nets! Chaque image, chaque détail étaient profondément ancrés dans sa mémoire.

– Peut-être ai-je tout simplement fantasmé, conclut-elle. Pourtant, j'ai vraiment eu le sentiment que ces songes étaient prémonitoires...

Valentin resta silencieux. Son visage s'était durci, ses yeux reflétaient son agitation intérieure. Il se leva et s'approcha d'Elsa. Elle se préparait à affronter sa colère ; il s'accroupit et lui prit doucement la main.

— Ce n'est rien, Mademoiselle. Vous aviez juste peur, et vous avez imaginé dans vos rêves les situations les plus folles. Mais tout cela est du passé.

Elsa sentit les battements de son cœur s'accélérer. Elle serra les doigts du garçon dans les siens.

— Les cauchemars... ils sont revenus ! gémit-elle. J'ai rêvé que Laughton torturait Stefan et le transformait en cette créature du tableau de Klaun.

Le précepteur regarda Elsa avec une profonde sympathie.

— Vous êtes très tendue depuis deux jours. Moi aussi, parfois, lorsque je suis rongé par le doute, de vieux démons viennent me hanter. Comme l'anarchie par exemple...

Valentin se pinça le nez. C'était maintenant lui qui cherchait à réunir son courage.

— Avant que je ne vous rencontre, je faisais le même rêve chaque nuit. J'avais seize ans lorsque ma mère est morte. Mon beau-père était un bourgeois et un rustre, ma présence l'embarrassait. J'ai donc fait mon baluchon, et je suis parti tenter ma chance dans les rues de Paris.

Intriguée par cette subite confession, Elsa releva la tête.

– Vous étiez tout seul ? s'enquit-elle. Sans travail, sans maison ?

– J'avais fait des études, grâce à l'insistance de ma mère auprès de cet homme sans cœur qu'elle avait épousé juste après ma naissance. Alors, pour survivre, j'ai vendu mes services en tant qu'écrivain public. Je fréquentais aussi les cafés où l'on devisait politique et littérature. C'est ainsi que je me suis fait des amis dans les milieux anarchistes. Et j'ai peu à peu commencé à participer aux actions... jusqu'à l'accident.

La jeune fille avait retenu son souffle. Elle avait l'impression de découvrir Valentin. La détresse du garçon avait fait s'envoler la sienne. Émue, elle observait ses lèvres fines, ses grands yeux noirs. Elle avait envie de lui caresser le visage pour le rassurer, mais, gênée, elle suspendit son geste.

– Mon beau-père était à la tête d'une industrie textile, continua le jeune homme. Ce tyran traitait ses employés comme des esclaves. Les chefs du mouvement ont un jour décidé de faire sauter sa manufacture. J'avais toujours refusé de collaborer à la pose d'une bombe, mais cette fois je n'ai pas pu me soustraire. Je connaissais les lieux, et j'ai été choisi pour guider un de nos spécialistes en explosifs. Nous avons agi en pleine nuit, je croyais l'usine vide. Malheureusement, je me suis aperçu trop tard que la fenêtre du bureau de mon beau-père était allumée... Je ne pouvais plus rien faire pour le sauver : il est mort sur le coup.

Effondré, il posa son front sur l'épaule d'Elsa. Le lourd secret qu'il venait de lui livrer aurait dû la glacer, mais elle était étrangement sereine. Elle ne s'était jamais sentie aussi proche de lui. Toute tremblante, elle laissa sa main courir dans ses cheveux.

– J'ai pris alors conscience que je me fourvoyais, souffla-t-il. L'anarchie était en train de faire de moi un barbare. Plus rien ne me retenait à Paris ; et j'ai fui vers Londres pour retrouver mon père. Mais le souvenir de cette explosion a visité toutes mes nuits.

On cogna à la porte.

– Monsieur Bailly, murmura Gudrun, on vient d'apporter un message pour vous.

Le précepteur se releva aussitôt. Embarrassé, il évita de croiser le regard d'Elsa et alla ouvrir à la soubrette. Il attendit qu'elle s'éloigne avant de décacheter le pli.

Son visage se décomposa.

— Que se passe-t-il ? s'inquiéta Elsa.

— C'est une lettre du docteur Fliess : Martha, la cantatrice... Elle a disparu pendant la nuit !

8

Malgré les protestations de la domestique, ils quittèrent l'appartement sans prendre de collation.

– Dites à mon père que nous serons de retour pour le déjeuner, lança Elsa en sortant.

Sur le perron, elle jeta un coup d'œil au beffroi de l'hôtel de ville : les cloches venaient de sonner neuf heures. Elle rabattit le col de son manteau et emboîta le pas à son précepteur, qui remontait déjà la Währingerstrasse en direction de l'asile.

La jeune fille ne détachait pas son regard de Valentin. Il marchait d'un pas rapide ; ses gestes trahissaient une tension confuse. Pourtant, elle avait l'impression de percevoir chacune de ses pensées. Elle devinait qu'il regrettait de s'être confié à elle, de lui avoir conté cet accident qui pesait sur sa conscience. Il devait être effrayé à l'idée qu'elle ne verrait plus en lui qu'un vil criminel.

Elsa aurait souhaité le rassurer, mais elle ne parvenait pas à trouver les mots. Son histoire l'avait profondément touchée. Elle s'étonnait elle-même de ne pas le juger et s'en voulait de l'avoir autant malmené depuis leur rencontre. «Il avait besoin de mon écoute, de ma présence», songea-t-elle, un peu effrayée par les sentiments qu'elle découvrait en elle.

Elle s'arracha à ses réflexions en arrivant devant la clinique psychiatrique.

– La police est sur les dents, remarqua Valentin en désignant les hommes qui patrouillaient dans le parc.

Elsa cligna des yeux, se rappelant pourquoi ils étaient là. Un autre aliéné avait disparu...

– Surtout, murmura le précepteur, nous ne devons raconter ce que nous savons qu'au docteur Fliess. C'est à lui de prévenir les policiers. Sinon, ils découvriraient que j'ai été anarchiste, et...

Il se tut.

– C'était un accident, balbutia Elsa.

– Je sais. Mais la maréchaussée ne cherchera pas à comprendre.

La jeune fille hocha la tête et s'approcha du tuyau acoustique pour s'annoncer. À peine l'écho de sa voix s'éteignait-il que l'infirmier sortit du bâtiment. Il vint ouvrir la grille et les invita à le suivre.

Un homme à la mine hautaine les attendait devant la porte d'entrée. Engoncé dans son manteau de cuir noir, il examina les visiteurs de la tête aux pieds.

– Ulrich Arheim, service rapproché de Sa Majesté François-Joseph, aboya-t-il en ajustant son monocle. Veuillez décliner votre identité et l'objet de votre présence.

Elsa se rappela les mises en garde de Valentin et répondit avec indifférence.

– Mademoiselle de Costières. Je suis la fille du diplomate agressé l'autre soir à l'Opéra. Je viens chercher des explications sur cet accident auprès du directeur.

– Ach, des Français ! souffla-t-il. Des explications ? Un de ses enragés s'est encore enfui dans la nature, et Herr Fliess semble bien incapable de nous en fournir !

Le policier tourna la tête vers Valentin. L'allure étrange de ce jeune homme aux cheveux blancs semblait l'intriguer.

– Et qui est ce monsieur qui vous accompagne ?

Elsa soupira, excédée par cet interrogatoire.

– Mon précepteur. Souhaitez-vous voir ses lettres de recommandation ? Mon père est un haut fonctionnaire. Il a été blessé dans des conditions rocambolesques, et je...

– Laissez-les tranquilles !

Joseph Fliess se tenait dans le hall. Il toisa l'officier et fit signe à Elsa et Valentin de le rejoindre.

– Au lieu d'importuner mes hôtes, tonna le psychiatre, vous feriez mieux d'organiser des recherches pour retrouver mon patient !

Il n'attendit pas la réponse du policier et invita les jeunes gens à traverser le sas de sécurité, en direction du cœur de l'asile. Il ferma la porte blindée et claudiqua jusqu'à son bureau.

– Cet Arheim est une plaie ! maugréa-t-il en s'enfonçant dans son fauteuil.

– Que s'est-il passé ? demanda Valentin.

– C'est à n'y rien comprendre. J'ai fait ma ronde hier soir : tout était normal. Ce matin, la cellule de Martha était vide. Comme Stefan il y a trois jours, elle s'était volatilisée pendant la nuit !

— Qu'en pense la police ?

— Arheim est persuadé que j'organise ces disparitions, que j'utilise mes malades pour tenter d'assassiner l'impératrice. Il attend de pouvoir me coincer...

Elsa se rappela leur filature de la veille, les paroles que Klaun avait lâchées avant de rentrer dans le café.

— C'est le peintre, fit-elle. Cet anarchiste a dit qu'il recommencerait.

— Je vois que vous avez des choses à me raconter...

D'un bref coup d'œil, la jeune fille s'assura de l'accord de son précepteur et expliqua dans le détail ce qu'ils avaient appris en suivant Werner Klaun. Fliess ne l'interrompit pas une seule fois. Il l'écouta, concentré, se contentant de faire tourner le pommeau de sa canne dans sa main.

— Vous pensez donc qu'une manipulation anarchiste est à la source de nos ennuis ? demanda-t-il, une fois qu'Elsa eut fini son récit.

— Nous n'avons pas de preuve, répondit Valentin. Mais ce que nous avons découvert nous pousse à le penser.

Le psychiatre se leva. Les yeux mi-clos, il fit plusieurs allers-retours derrière son bureau.

– Voilà un attentat peu orthodoxe ! Pourquoi s'escrimer à faire passer pour un accident un de ces assassinats dont les anarchistes aiment à se vanter ?

– Ils adorent aussi les symboles, dit le jeune homme. Voyez un peu : un indigent qui se révolte contre le pouvoir... Un fou qui trouve assez de raison pour s'enfuir de son asile et tuer le puissant qui lui est plus insupportable encore que les murs de sa cellule.

Fliess lissa sa barbe du plat de la main.

– C'est une théorie séduisante, commenta-t-il. Cela expliquerait l'évasion déguisée, le scalpel... Même si nous ne comprenons toujours pas comment ils ont réussi à enlever Stefan. Klaun connaît la clinique, mais cela ne suffit pas...

Elsa se redressa sur son siège :

– Comment ont-ils manipulé votre patient ? Il fallait qu'il s'attaque à une personne bien précise. De plus, l'objectif a été modifié au dernier moment. L'impératrice étant absente, ils ont décidé de tuer la baronne Zamenkof.

– Les gens croient que les aliénés sont des bêtes furieuses qu'il suffit d'aiguillonner pour pousser au meurtre. Ils ont dû torturer Stefan pour le rendre aussi agressif. Mais un fou en crise est incontrôlable... Il aurait pu se ruer sur n'importe qui. Ces terroristes sont stupides !

– Leur violence les aveugle, marmonna Valentin d'une voix sourde.

Fliess se rassit et se remit à faire rouler sa canne entre ses doigts.

– Bien. Si c'est vraiment un coup des anarchistes, ils agiront ce soir. C'est le bal de fin d'année à la Hofburg. Cette fois, ils sont sûrs que l'impératrice sera là.

– Vous allez prévenir la police ? demanda le précepteur, un peu tendu.

– Non. On m'accuserait d'être un complice de Klaun. Et je ne m'inquiète pas pour la vie de cette chère Elisabeth. Les autorités sont prévenues, et la sécurité sera maximale. Cependant, il nous faut absolument retrouver Martha avant la réception. Si jamais les anarchistes la lâchent en pleine crise, pendant le bal, je ne pourrai plus rien faire pour sauver ma place.

– Notre seule chance est d'espionner Klaun, en espérant qu'il nous mènera à votre malade, conclut Valentin après avoir jeté un coup d'œil vers Elsa.

La jeune fille se sentit soudainement découragée. Comment pourraient-ils à eux deux arracher la cantatrice aux griffes de Klaun et de ses camarades ?

– Tout serait si simple si Stefan pouvait nous dire ce qui lui est arrivé ! souffla-t-elle.

Fliess écarquilla les yeux.

– Bon sang ! s'exclama-t-il.

Les jeunes gens le regardèrent, interdits.

– Stefan est psychotique, mais il n'est pas muet. Il vit replié sur lui-même, détaché de toute réalité extérieure. Peut-être qu'en l'hypnotisant, je pourrai le faire parler ! Je ne crois plus guère aux vertus thérapeutiques de cette pratique, mais pour ce qui nous intéresse...

– L'hypnose ? coupa Valentin. N'est-ce pas là un procédé de foire ?

– Détrompez-vous ! Cette transe encore incompréhensible permet de mettre au jour des pensées qui restent cachées à la conscience du patient. J'en ai plusieurs fois fait l'expérience dans le cadre de mes propres travaux.

Sur ces explications, Fliess sortit dans le couloir et héla un infirmier. Au garde-à-vous, ce dernier écouta attentivement les mots que le docteur lui murmurait à l'oreille et rebroussa chemin au pas de course.

L'aliéniste rentra dans le cabinet et se mit à marcher en rond.

– Nous allons tenter l'expérience, finit-il par lâcher. Je vous demanderai, dès l'arrivée de Stefan dans cette pièce, d'observer le silence le plus strict. En aucun cas vous ne devez troubler le calme de mon patient durant la séance. Évitez aussi de suivre les indications que je lui donnerai : vous risqueriez de succomber à l'hypnose.

Elsa et Valentin eurent à peine le temps d'acquiescer que l'on frappa.

– N'aie pas peur, Stefan, dit doucement Fliess en fermant la porte derrière le malade. Te souviens-tu de nos amis ? Ils vont rester à côté de nous pendant que nous discutons un peu...

Le garçon avança, tête baissée. Les bras emprisonnés dans une camisole de force, il se planta devant les deux Français. Il resta là, balançant son torse d'avant en arrière.

Troublée, Elsa ferma les yeux. « Je ne dois pas croiser son regard, frémit-elle. Sinon, je vais de nouveau m'imaginer le pire... » Elle faillit même se boucher les oreilles pour ne plus entendre les rires étouffés du dément. Lorsqu'elle rouvrit les paupières, elle discerna le reflet d'une scène étrange dans le miroir qui lui faisait face. Libéré de ses liens, Stefan avait posé une main sur la tête de Valentin. Il caressait avec fascination la chevelure blanche du précepteur. Il frotta ensuite son crâne nu avec un air amusé.

Fliess prit délicatement son patient par le bras et le fit asseoir sur le sofa.

– Nous allons jouer tous les deux, annonça-t-il en tirant de son gilet une montre de gousset. Tu vas fixer ce bijou très attentivement.

Le fou se figea et regarda avec intérêt l'oignon en or qui oscillait devant lui.

– C'est bien, l'encouragea le docteur d'une voix douce. Détends-toi. Plus rien n'existe... Il n'y a plus que cette montre qui flotte. Tes paupières sont lourdes, tes muscles se relâchent...

Inquiète, Elsa s'empêchait de poser les yeux sur l'aliéné. Elle se forçait à oublier sa présence en suivant les gestes du psychiatre, en dépit de ses mises en garde. Elle sentait une douce langueur l'envahir peu à peu quand Stefan s'avachit dans le canapé, plongé dans un sommeil hypnotique.

– M'entends-tu, Stefan ? demanda Fliess.

– Ouiiiii...

– Souviens-toi, l'autre soir, quand tu es sorti dans la ville...

Le visage du garçon s'anima de tics convulsifs, sa bouche se crispa.

– Le monsieur, balbutia-t-il d'une voix enfantine. Il est venu me chercher. Je voulais pas, mais il m'a fait sentir des odeurs. Après, j'étais dans le noir... et il m'a fait mal...

Son corps se raidit comme une barre de métal.

– La musique ! cria-t-il. La musique... Tuer la femme ! Méchante femme, méchante femme !

Fliess se précipita pour délivrer son patient de l'hypnose. Mais, en un éclair, Stefan se mit à quatre pattes sur le divan. Avec une force surhumaine, il repoussa violemment le docteur contre la bibliothèque.

Le dément soufflait maintenant comme une bête. Il braqua son regard noir sur Elsa. « Ses yeux ! s'affola la jeune fille. Ils brillent du même feu démoniaque que ceux d'Aleister Laughton ! »

– Il est trop tard ! grogna-t-il d'une voix d'outre-tombe. Le maître possède le rituel ultime. Les portes vont s'ouvrir... Rien ne pourra empêcher la fin !

9

Stefan se rua dans le couloir, mais deux infirmiers, alertés par le vacarme, l'y attendaient de pied ferme. Le forcené fonça sur eux, tel un gibier rendu fou par la battue. La lutte dura plusieurs minutes ; quand le garçon eut été maîtrisé, il fut reconduit dans sa cellule, et ses cris de désespoir s'éteignirent, étouffés par la porte de métal du deuxième étage.

– Le souvenir de sa douleur a rompu l'hypnose, souffla Fliess à l'attention d'Elsa et Valentin.

Sonné, le psychiatre s'était relevé et adossé au chambranle de la porte de son cabinet. Il frottait d'une main le haut de son crâne.

– Nous n'en savons guère plus...

Des bruits de pas rythmés l'interrompirent. Ulrich Arheim fit son irruption dans le bureau. Furieux, il s'arrêta et claqua des talons.

– Herr Doktor, quel est encore ce remue-ménage ? On vient de me dire que l'un de vos patients avait essayé de s'enfuir !

L'aliéniste tira sur la veste de son costume et s'avança en cognant le sol de son pied bot pour singer la démarche militaire du policier.

– Un malade a fait une crise... Rien d'inhabituel, mentit-il. Vous êtes dans un asile. Vous feriez mieux de partir mener votre enquête, plutôt que d'attendre ici je ne sais quoi. Le fonctionnement de cette clinique ne vous concerne pas.

Arheim renifla et fixa le docteur sans aménité.

– Tout ce cirque a assez duré ! gronda-t-il. C'est moi qui donne les ordres ! Vous allez immédiatement enfermer tous vos patients dans le quartier de sécurité. Il a en été ainsi pendant des années, et cela n'aurait jamais dû changer ! Nous serons sûrs qu'aucun n'en sortira.

Fliess voulut protester, mais l'officier lui enjoignit de se taire.

– Les bonnes grâces de l'impératrice à votre égard ne sont plus ce qu'elles étaient, ricana-t-il. L'empereur lui a demandé de me confier les clés du quartier de sécurité que vous lui aviez remises...

Pour preuve, il sortit un trousseau de sa poche.

– Je vous conseillerais de ne pas me désobéir, si vous ne voulez pas finir vos jours derrière les murs d'une prison.

Arheim jubilait. Il se tourna vers Elsa.

– Quant à vous, Fräulein, vous feriez mieux de retourner de ce pas au chevet de votre père. Je ne crois pas qu'il aimerait vous savoir en ces lieux...

Encore sous le choc de l'incident, la jeune fille interrogea Fliess du regard. Les traits crispés, le psychiatre lui fit signe d'obtempérer.

Elle passa son bras sous celui de son précepteur et se laissa guider vers l'extérieur.

De retour dans la rue, Elsa pencha la tête en arrière pour sentir sur son visage les flocons de neige qui tombaient en rangs serrés. Elle était submergée par un puissant sentiment d'angoisse, que l'air du dehors ne parvenait pas à faire refluer. Comme le soir de la représentation à l'Opéra, elle avait vu Stefan en crise. Mais, cette fois, elle avait compris la raison de son trouble, elle avait reconnu le regard si caractéristique d'Aleister Laughton. Et les dernières paroles du garçon avaient ouvert dans sa conscience des abîmes de terreur. «Le rituel ultime! gémit-elle mentalement. Comme dans le journal du lord. Le maître...» Les images des cauchemars que Valentin l'avait aidée à chasser revenaient, implacables. Était-il possible que ses rêves ne soient pas des hallucinations, mais bien des prémonitions? Aleister Laughton était-il responsable des disparitions des fous? Les patients du docteur Fliess étaient-ils ses nouveaux jouets? «Que prépare-t-il? Si seulement nous avions pu lire les *Manuscrits d'Elfaïss!*»

Troublée, elle rouvrit les yeux.

— Le livre dont la lecture rend fou, murmura-t-elle comme un présage.

— Il est midi passé, lança Valentin, qui rangeait sa montre. Pressons-nous! Ne soyons pas en retard pour le déjeuner. Votre père doit déjà être mécontent que nous soyons partis sans le saluer.

Immobile, Elsa le dévisagea. Il ne semblait pas être alarmé par la situation.

— Vous avez entendu Stefan, s'enquit-elle, fébrile, quand il a parlé du... lord?

Abasourdi, le jeune homme se rapprocha.

— Qu'est-ce que vous racontez ? Il a dit qu'on l'avait torturé, puis il s'est enfui. Qu'avez-vous, Mademoiselle ?

Elsa se sentit mal et porta une main à son front. Avait-elle rêvé ? Était-elle tombée dans l'hypnose ? Elle avait observé les gestes de Fliess avec une telle insistance...

— Je ne sais pas, bredouilla-t-elle. Peut-être n'ai-je pas résisté à l'hypnose. J'ai eu l'impression que Stefan avait parlé d'un rituel, du maître ; alors, j'ai cru que...

— Il faut cesser de penser au passé, la coupa Valentin. Laughton n'a rien à voir avec notre enquête. Il est mort, et il ne réapparaîtra pas ! Vos cauchemars sont des chimères auxquelles vous succombez trop facilement.

Le précepteur regretta aussitôt la fermeté de son ton. Il se demandait soudain s'il n'avait pas sous-estimé la détresse de son élève. « Quand tout cela sera fini, pensa-t-il, je demanderai au docteur Fliess son avis sur ces cauchemars... »

— Rentrons, fit-il.

Sigismond s'était habillé et patientait, assis dans un des fauteuils de l'entrée. Il soupira quand Elsa et Valentin arrivèrent.

– Ah, enfin ! Mais où étiez-vous ? Je commençais à m'inquiéter !

Sa fille prit le temps d'enlever son manteau et de l'accrocher à la patère avant de répondre d'un air détaché :

– En ville. Gudrun ne vous a pas prévenu ?

– Si, bien sûr ! marmonna le vieil homme en se levant. Mais vous auriez dû me demander l'autorisation. J'ai fait venir le tailleur pour rien !

– Quel tailleur ? demanda Elsa. Et d'abord, que faites-vous ici ? Vous devriez être au lit.

– Je voulais vous faire une surprise... Frau Zamenkof a eu la gentillesse de nous recommander auprès de l'impératrice. Grâce à la baronne, nous sommes conviés ce soir au bal du Kaiser ! Vous rendez-vous compte de notre chance ? Cette cérémonie est la plus prestigieuse et la plus fastueuse qui soit !

Elsa tressaillit en songeant au drame qui menaçait de troubler la fête.

– Invités à la Hofburg ? souffla-t-elle, la gorge

nouée. Êtes-vous sûr d'être suffisamment rétabli pour quitter le lit?

Son père ne se formalisa pas de son manque d'enthousiasme. Il savait de toute façon que sa fille détestait les réceptions officielles et leurs rituels immuables.

– Je suis presque guéri, affirma-t-il en se frottant l'abdomen. Maintenant, dépêchez-vous d'aller déjeuner! J'ai reporté les essayages à cet après-midi. Je ne veux donc pas vous voir quitter l'appartement avant ce soir!

Valentin plissa le front. Coincés ici, ils n'avaient aucune chance de retrouver Martha avant le bal.

– Qu'allons-nous faire? murmura Elsa sur le chemin de la cuisine.

– Fliess prétend que Klaun et ses amis ont peu de chances d'arriver à leurs fins. Je ne suis pas aussi confiant... Après tout, ils ont presque réussi leur coup avec Stefan! Il faudra observer, guetter. En espérant que nous saurons prévenir l'irréparable...

Durant toute l'après-midi, Elsa passa sa mauvaise humeur sur l'employée qui lui fit essayer les robes. La jeune femme avait déballé trois grosses malles apportées de la boutique, et Elsa avait passé une à une toutes les parures. Son miroir étant brisé, elle avait fait porter par Gudrun la psyché de la chambre de Sigismond. À chaque nouvelle toilette, elle grimaçait en se regardant dans la glace. Elle tirait sur les étoffes, remontait une bretelle ; puis elle annonçait que la couleur était trop pâle ou le décolleté trop échancré et jetait son dévolu sur une autre tenue. Mais aucune ne la satisfaisait. Elle désespérait d'en trouver une qui lui conviendrait, qui dissimulerait ses épaules, ses muscles saillants.

– La bleue vous allait à ravir, fit Gudrun au bout d'un moment. Je suis sûre qu'elle sera du goût de M. Valentin.

Elsa lui offrit un sourire pincé.

– D'accord, répondit-elle en rougissant.

Elle attendit que l'employée du tailleur et la soubrette aient débarrassé les lieux et se jeta sur son lit.

– Que va-t-il se passer ? soupira-t-elle en fixant le plafond.

Cette attente interminable l'étouffait. Paradoxalement, elle espérait que les anarchistes se montreraient au bal, que Martha se jetterait dans la foule.

– Alors, je saurai que c'est bien un complot terroriste, murmura-t-elle. Et rien que ça ! Je pourrai enfin oublier mes hallucinations...

10

Dès la nuit tombée, une animation fiévreuse s'était emparée du quartier de la Hofburg. Bravant le froid, le peuple avait envahi les rues enneigées et s'était massé derrière les barrières dressées le long des trottoirs. À la lueur des guirlandes de lampions, les gens contemplaient le flot de voitures qui avançaient au pas en direction du palais. Ils s'émerveillaient devant la richesse des équipages et les tenues des invités.

– Voilà près d'une heure que nous sommes bloqués dans le trafic, maugréa Sigismond.

Le diplomate se pencha à la fenêtre de la calèche, mais une douleur lancinante au côté le rappela à l'ordre. Il s'adossa en grimaçant :

– Frau Zamenkof nous attend ! Que va-t-elle encore penser ?

Elsa était installée sur l'autre banquette, avec son précepteur. Elle fronça les sourcils. Déjà anxieuse à l'idée de cette soirée, elle allait en plus devoir supporter la mièvrerie de la baronne.

— Vous lui avez sauvé la vie, Père, remarqua-t-elle. J'ose espérer qu'elle aura la politesse de ne point s'offusquer du retard de son cavalier...

Valentin jeta un coup d'œil à l'extérieur. Des hommes en uniforme arrêtaient les voitures une à une à l'entrée de la Michaelplatz.

— C'est un contrôle de police, fit-il en se rasseyant. Nous devons attendre notre tour.

— Soit..., soupira le vieil homme en se renfonçant dans son siège. Patientons...

Le garçon tourna la tête vers son élève. Leurs regards se croisèrent, brillant de la même inquiétude. La présence de la maréchaussée leur avait rappelé la menace qui pesait sur l'impératrice. Ils restèrent un long moment les yeux dans les yeux, tourmentés par les mêmes interrogations. Les anarchistes sauraient-ils déjouer la vigilance de la sécurité ? Poussée à bout par ses tortionnaires, Martha était-elle déjà à l'intérieur, prête à se jeter sur sa proie ?

La voiture de l'ambassade s'immobilisa enfin. Un policier s'approcha et les salua :

– Puis-je voir vos invitations, s'il vous plaît ?

Sigismond tendit les cartons marqués du sceau impérial que lui avait remis Frau Zamenkof. L'homme les examina scrupuleusement.

– Désolé pour ce contretemps, lâcha-t-il en les rendant, mais un aliéné s'est enfui de l'asile. Nous tenons à éviter tout incident... Je vous souhaite une bonne soirée.

Le cocher relança aussitôt les chevaux.

– Vous étiez au courant ? s'enquit le vieil homme en fixant Elsa et Valentin.

Devant l'air soupçonneux de son père, la jeune fille adopta le profil bas :

– Nous l'avons appris en ville aujourd'hui. Mais, comme vous l'avez dit, cela ne nous regarde pas...

– Je comprends mieux ta nervosité, ma chérie ! Mais, rassure-toi, ce fou en cavale n'a sûrement pas d'invitation à présenter, plaisanta-t-il. Il devra rester dehors. Je n'aurai donc pas l'occasion de jouer de nouveau les héros...

– Espérons-le, murmura Valentin en ouvrant la portière.

Elsa inspira et mit pied à terre. Un cordon de policiers retenait la foule de curieux rassemblés sur la place. Ils admiraient les notables en costume d'apparat qui montaient l'escalier d'honneur du palais impérial.

— J'aperçois Frau Zamenkof sur le perron, annonça Sigismond en grimpant les premières marches. Allons la rejoindre !

Mal à l'aise, Elsa rabattit les pans de sa cape doublée de fourrure et se serra contre son précepteur. Elle détestait sentir tous ses regards inconnus qui glissaient sur elle.

— Tiens donc, chuchota Valentin. Voyez qui est là !

La jeune fille releva la tête et repéra la silhouette longiligne de Werner Klaun parmi les badauds. Il discutait avec un vieil homme richement vêtu qui était à l'intérieur des barrières. Ce dernier surveilla les alentours en lissant ses épais favoris, comme s'il préparait un mauvais coup. Puis il glissa la main dans une de ses poches. Il en sortit un petit paquet, qu'il échangea contre un autre, tendu par Klaun. Aussitôt, le peintre se perdit dans l'assemblée. Son compère fit demi-tour et se dirigea vers la Hofburg.

– Incroyable ! souffla Valentin. Les anarchistes ont un complice parmi les convives. Il faut le surveiller.

Les deux jeunes gens ne s'attardèrent pas plus longtemps et allèrent rejoindre Sigismond et Frau Zamenkof.

– Quel couple merveilleux ! susurra la baronne. C'est un plaisir de passer cette soirée exceptionnelle en votre compagnie.

Distante, Elsa esquissa une révérence. Elle épiait l'acolyte de Klaun, qui s'approchait de l'entrée. Arrivant à leur hauteur, il inclina son crâne dégarni pour saluer Frau Zamenkof. Stupéfaite, la jeune fille le regarda disparaître au milieu des invités qui emplissaient le hall du château.

– Qui est donc ce monsieur ? demanda-t-elle un peu brusquement en se rapprochant de la douairière.

– Je n'en ai aucune idée ! Nombre de personnes me connaissent ou font semblant, dans l'espoir de s'attirer mes faveurs... Ainsi va le monde !

Elsa soupira. Elle ne s'habituerait jamais à l'hypocrisie et aux futilités de la vie en haute société ! Mais, déjà, la vieille dame avait passé son bras sous celui du diplomate et se laissait guider à l'intérieur du palais. Dépitée, Elsa fit de même avec Valentin.

Ils glissèrent avec la foule d'invités le long d'un couloir étincelant. Des lustres gigantesques éclairaient de mille feux les murs richement ornés, les statues dorées à l'or fin. Au fond, une arche monumentale ouvrait sur la salle de bal. L'écho des conversations feutrées se mêlait aux rires étouffés des dames, aux bruissements de leurs robes sur le sol de marbre.

Elsa écarquilla les yeux. Anxieuse, elle scrutait les alcôves aménagées entre les colonnes qui soutenaient le plafond. «C'est immense! songea-t-elle. Et il y a tellement de monde! Martha peut surgir de n'importe où.»

– Mademoiselle, fit la baronne, parvenue sur le seuil, m'autorisez-vous à enlever votre charmant père le temps de ces festivités?

La jeune fille tourna son regard vers Sigismond.

– Ne t'inquiète pas, fit celui-ci. Et profite de cette soirée pour t'amuser, ma chérie... Ce bal promet d'être extraordinaire!

– Vous ne croyez pas si bien dire! s'écria Frau Zamenkof. Savez-vous qu'un aliéné s'est encore échappé ? Heureusement, vous êtes à mes côtés : je n'ai rien à craindre !

— Il ne troublera pas la fête, déclara le diplomate pour clore le sujet.

— Enfin, tout de même ! s'entêta la baronne. J'ai des connaissances dans la police, et ce qu'on m'a raconté est effrayant. Ces fous seraient utilisés par les anarchistes ! Vous rendez-vous compte ? Ils ont tenté de me tuer ; et qui nous dit qu'ils ne vont pas essayer ce soir de s'en prendre à l'impératrice elle-même ? Quand je pense qu'Elisabeth rit de tout cela...

— Comment cela ? fit Valentin, intrigué.

— Malgré les protestations de l'empereur, elle a décidé d'inviter ce soir un inconnu pour la deuxième danse. Elle veut montrer qu'elle n'a pas peur des rumeurs d'attentat.

Elsa sentit la main de son précepteur se serrer autour de son bras.

— Monsieur Bailly, je vous confie ma fille, lança Sigismond en s'éloignant. Vous pouvez rentrer plus tôt si vous le souhaitez. Prenez la calèche de l'ambassade : Frau Zamenkof me reconduira.

L'orchestre attaqua l'hymne national au moment même où les deux jeunes gens entraient dans la salle majestueuse. La foule se tourna vers le fond de la pièce, où le couple impérial venait d'apparaître. La masse des invités qui s'inclinaient en une profonde révérence ondula comme une vague sur le passage des souverains. Même de loin, Elsa devina la beauté resplendissante de l'impératrice. Elle avançait avec dignité au côté de son vieux mari. Aux premières notes du *Beau Danube bleu*, les époux se firent face et entamèrent la danse.

Elsa se laissa un instant hypnotiser par cette vision féerique, mais elle finit par ressentir la tension qui régnait parmi les convives. Ils avaient fait cercle en se ramassant le long des murs et s'observaient à la dérobée en un étrange ballet de regards.

La jeune fille se mit elle aussi à détailler les visages, à guetter les recoins. Elle leva instinctivement la tête pour inspecter les lustres. Elle retenait sa respiration comme si, à tout instant, la silhouette de Martha pouvait surgir. «Tout va se jouer durant la deuxième danse!» frémit-elle quand la musique s'éteignit.

La reine Elisabeth accompagna Son Altesse François-Joseph jusqu'à l'estrade dressée à leur attention. Elle lâcha la main de l'empereur et commença à longer la foule. Un silence pesant s'installa dans la salle. Pourtant, l'impératrice ne se départit pas de son sourire. Elle paraissait se régaler de ce moment.

Incrédule, Valentin vit Elisabeth s'arrêter devant le complice de Klaun.

— Non, elle ne va pas faire ça, balbutia-t-il. Il faut l'empêcher !

N'écoutant que son courage, le garçon s'avança et mit genou en terre devant la reine. Aussitôt, une dizaine d'hommes jaillirent de l'assistance. En un éclair, ils tirèrent un pistolet de sous leur redingote et se précipitèrent sur Valentin.

— Non ! Laissez-le ! ordonna l'impératrice.

Les policiers se figèrent.

— Et j'ai déjà dit que je ne veux pas voir d'armes à feu à l'intérieur de ces murs !

Après une longue hésitation, les gardes reculèrent. Valentin expira profondément. Il attendit plusieurs secondes avant de relever la tête. Le regard troublant de l'impératrice était posé sur lui.

Il se mit alors à déclamer :

– « Perdue dans les ténèbres de l'univers
Muette à tout poème était mon âme !
Au bord de l'abysse s'ouvrant sur l'infâme,
Le désespoir m'attirait vers l'éther.

J'ai laissé la mort jardiner en moi
Et éteindre la flamme de ma jeunesse,
Mais aujourd'hui votre présence me blesse
Elle allume le vide d'un profond émoi.

Je vous regarde, et j'aimerais savoir
Sur quels sentiers vous entraînent vos rêves,
Si je saurai vous apporter la trêve.

Je me sens renaître de ce seul espoir
Que vos yeux noirs se penchent sur cette passion,
Qu'un signe réponde à cette invitation. »

Un long murmure d'étonnement parcourut la foule.

– Voilà de bien jolis vers, Monsieur ! dit Elisabeth en français. Me ferez-vous l'honneur de m'accorder cette danse ?

Valentin savoura sa victoire en observant le complice du peintre anarchiste qui trépignait d'impuissance. Le vieil homme essuya sa calvitie écarlate avec son mouchoir et se perdit parmi les invités.

Pourtant, en entendant les premières notes de musique, le garçon déchanta. Il était un piètre danseur. Il fit de son mieux pour oublier les regards braqués sur lui et cala ses pas sur ceux de l'impératrice.

– Peu importe ce que pensent ces arrogants, murmura-t-elle. Votre poésie rachète votre manque de pratique de la valse.

– Je remercie Votre Majesté, balbutia Valentin, intimidé.

Peu à peu, son malaise se dissipa grâce à la présence extraordinaire d'Elisabeth. Cependant, il ne put s'empêcher de jeter un œil coupable en direction d'Elsa.

– Votre cavalière ?

Il répondit par un hochement de tête.

– Elle va sûrement vous en vouloir ! fit Elisabeth avec un sourire complice. Je devine que ces vers avaient été écrits pour elle...

– Veuillez excuser l'impudence de mon invitation, Votre Altesse. Mais j'ai eu peur pour votre vie.

– Votre courage vous honore, Monsieur. Et je suis toujours heureuse de rencontrer un poète. Mais ne vous inquiétez plus. Franz m'a arraché la promesse de feindre d'être indisposée. Ainsi, je pourrai me retirer. Mais profitons de l'instant. Après, vous retournerez vers votre bien-aimée.

Rassuré, Valentin se laissa emporter par le plaisir de la danse et s'étonna d'entendre si vite la musique se taire. Il raccompagna la reine jusqu'à l'estrade et resta sur le côté. Les accords d'une nouvelle valse montèrent, les couples de danseurs envahirent la piste.

Quelques minutes plus tard, l'impératrice agita son éventail et demanda un verre d'eau, qu'elle but d'une traite. Elle se leva et, après un signe de tête à son mari, elle s'en alla vers ses appartements.

Valentin rejoignit discrètement son élève.

– L'affaire est réglée ! claironna-t-il. Il n'y aura pas d'attentat ce soir.

La gifle d'Elsa le cueillit à froid. Sonné, il vit la jeune fille pivoter sur ses talons et partir en courant.

– Mais... Mademoiselle !

11

Les taches jaunâtres des rares réverbères perçaient à intervalles réguliers les ténèbres du Volksgarten. Elsa longeait les massifs du jardin recouvert par la neige. De la foule agglutinée devant le palais ne lui parvenait plus qu'un lointain murmure. Elle tentait d'étouffer ses sanglots lorsqu'elle entendit la voix de son précepteur derrière elle.

– Mademoiselle, attendez-moi !

La jeune fille accéléra le pas. Inconsciemment, elle s'était réfugiée derrière sa colère à l'égard de Valentin pour maîtriser la peur indéfinissable qui montait en elle. Mais le garçon la rejoignit bientôt. Il avait le souffle court, et la sueur perlait sur son front. Pendant de longues minutes, il marcha aux côtés d'Elsa sans rien dire.

– J'espère que vous n'aurez pas l'audace de me demander la raison de mon geste ! siffla-t-elle pour rompre le silence qui lui pesait.

– Je ne comprends pas..., fit Valentin d'une voix étouffée.

– Écoutez-moi bien, Monsieur Bailly. Si jusqu'ici je me réjouissais de vous voir plus détendu que vous ne l'étiez à Londres, sachez qu'il y a des limites à ne pas dépasser. Vous n'êtes plus un bohème battant le pavé de Paris, mais mon précepteur ! J'attends de votre part une conduite digne de cette position.

– Enfin, je...

Elsa s'arrêta brusquement. Elle croisa les bras d'un geste de mépris et le toisa :

– Vous étiez mon cavalier ! Avez-vous songé un instant à l'affront que vous m'infligiez en invitant l'impératrice ?

Valentin secoua la tête.

– Qu'est-ce qui vous prend ? Ne trouvez-vous pas incongru de me faire une scène pour je ne sais quelle règle d'étiquette ? L'impératrice était en danger, et j'ai voulu la protéger. Elle s'apprêtait à inviter le complice de Klaun ! Dieu seul sait ce qui aurait pu se passer...

Elsa fut agitée par un rire nerveux.

– La reine Elisabeth ? Valser avec un aristo-
crate obèse ? Non, elle préférait un jeune homme
qui improvise des vers pour la flatter ! Dire que
vous refusez depuis des semaines de me lire vos
poèmes, et voilà que vous déclamez devant toute
la haute société viennoise !

Valentin effleura d'une main sa joue rougie.
Il pouvait lire dans les yeux noirs d'Elsa comme
dans un livre ouvert. « Cette gifle..., pensa-t-il en
blêmissant. Elle est jalouse ! » Cette découverte
l'émut tant qu'il se mit à trembler de tous ses
membres. Il aurait voulu avouer ce que l'impératrice avait compris grâce à un seul regard, mais
il n'en eut pas la force. Comment expliquer à Elsa
que ce poème enflammé lui était destiné ?

– C'est tout ce que j'ai trouvé pour empêcher
cet anarchiste de s'approcher. Et ça a marché : il
ne s'est rien passé !

Elsa soupira douloureusement. Son précepteur
la forçait à réaliser la vraie raison de son courroux.
Pourquoi Martha ne s'était-elle pas montrée ?

– Cette histoire d'attentat me paraît de plus en
plus rocambolesque, murmura-t-elle. Si cet inconnu
avait dansé avec Son Altesse, une simple dague

lui aurait suffi pour arriver à ses fins ! Tout cela ne tient pas debout...

Un froid intense tomba sur les épaules de la jeune fille. S'étaient-ils fourvoyés depuis le début de leur enquête ? Les anarchistes étaient-ils vraiment responsables des disparitions de Stefan et de la cantatrice ? Haletante, elle pressa les mains sur ses tempes pour faire refluer les images de ses cauchemars. « Mon Dieu, s'alarma-t-elle. Faites que je me trompe ! »

La voix de Valentin parvint à ses oreilles :

— Peut-être que la sécurité les a empêchés d'agir ou que leur coup n'était pas pour ce soir. Il y a d'autres cérémonies impériales à venir, comme le Fasching dans quelques jours, le carnaval... Je vais me rendre au « Saint-Pétersbourg ». Il nous faut absolument comprendre ce qu'ils préparent !

— Je viens avec vous ! lança Elsa en relevant la tête.

— C'est trop dangereux ! Vous m'attendrez à l'appartement.

— Non. J'ai besoin de savoir. Je ne veux pas me coucher avec toutes ces interrogations. J'ai trop peur des réponses qu'apporteraient mes rêves...

Valentin se mordit les lèvres. Il s'inquiétait de l'attention excessive qu'Elsa accordait à ses hallucinations nocturnes. Il baissa la voix au point qu'on n'entendit plus qu'un murmure :

– D'accord ! Mais nous devons d'abord nous changer. Nos tenues ne sont guère appropriées pour aller fouiner dans ce café.

Une heure plus tard, ils abordaient la rue miteuse où habitait Werner Klaun. Le jeune homme vérifia une dernière fois le costume de son élève. Il lui avait prêté une chemise blanche, un complet discret, et un lourd manteau de laine.

– Surtout n'enlevez pas votre casquette ! dit-il en s'assurant qu'aucune mèche de cheveux ne dépassait. Et laissez-moi parler. Rappelez-vous que personne ne doit deviner que c'est une femme qui m'accompagne ! Avec tout l'alcool que ces voyous ingurgitent, ce déguisement pourra les berner.

– J'ai bien compris, rétorqua Elsa en s'efforçant de sourire. Ces anarchistes ne sont pas aussi révolutionnaires qu'on le dit. Eux aussi pensent que la politique ne concerne que les hommes !

– Mademoiselle, je ne crois pas que ce soit le moment...

À leur entrée dans le café, les voix se firent soudainement plus basses. Agressée par les volutes de tabac, Elsa cligna des yeux. Elle balaya d'un regard circulaire les visages des habitués, qui la lorgnaient d'un air torve. Klaun n'était pas là, mais elle reconnut le soûlard qui avait accueilli le peintre la veille. Sans manifester sa surprise, elle suivit le précepteur jusqu'à sa table.

– On peut s'asseoir? demanda Valentin.

L'homme se contenta de ronchonner. Le précepteur s'installa et fit signe à Elsa de l'imiter. Il héla le tavernier et commanda trois chopines.

– Je ne bois pas avec des étrangers!

– Allons, mon brave! murmura le garçon. Refuseriez-vous de trinquer avec nous à la mémoire des Décembristes?

L'inconnu fronça les sourcils. Il dévisagea longuement les deux jeunes gens avant de dévoiler un sourire édenté.

– Excuse-moi, camarade: je ne pouvais pas deviner, souffla-t-il. Nouveaux en ville?

Elsa comprit que Valentin venait, par une allusion, de signifier leur prétendue appartenance au mouvement anarchiste. Elle se détendit.

— Nous arrivons aujourd'hui de Paris, fit le garçon. La route a été longue. On m'a parlé d'un certain Werner, un peintre. Paraît qu'il pourrait nous héberger, le temps qu'on trouve un toit...

— J'ai bien peur qu'on t'ait mal renseigné. Depuis son accident, Klaun n'est plus qu'un simple sympathisant. Tout au plus, il rédige quelques tracts. De toute façon, il tient trop à ses relations avec le beau monde pour se mouiller vraiment. Remarque, on ne s'en plaint pas : c'est pas un gars sûr.

L'anarchiste balaya la pièce d'un œil suspicieux avant de continuer :

— Il y a deux ans, il a été blessé au visage en préparant une bombe. Il est resté six mois à l'hosto à hurler de douleur malgré la morphine. Il a fini par s'en sortir, mais il a gardé de mauvaises habitudes. Il ne peut plus se passer de cette saloperie de drogue. Je ne sais pas où il se la procure, mais j'aime pas ça !

Il attrapa la bière que lui tendait le patron avant de continuer :

– Il cause pas beaucoup, ton collègue...

– Il ne parle pas allemand. Mais ça l'empêche pas de boire... Santé !

Valentin porta la chope à ses lèvres, et insista du regard afin qu'Elsa fasse de même. Il devait en finir au plus vite, pour ne pas éveiller les soupçons.

– Dis-moi : c'est vrai ce qu'on raconte ? Vous enlevez des agités pour leur faire commettre des attentats ?

– Foutaises ! rota le gaillard. Je ne sais pas d'où viennent ces rumeurs, mais on n'est pour rien là-dedans. Y a que des bourgeois effarouchés pour s'imaginer ça ! ou alors...

Il repoussa son verre en grognant, tel un animal :

– Werner ! Il va souvent à l'asile. Il est tellement dépourvu de talent qu'il s'approprie les toiles d'un fou, à qui il enseigne soi-disant la peinture. La police a dû découvrir qu'il était anarchiste et s'imaginer que...

L'homme se tut en voyant Elsa pâlir subitement. Il la fixa d'un air méfiant :

– C'est pas tout ça ! Je dois y aller. Merci pour la boisson.

Il se leva et rejoignit la sortie avec un peu trop de hâte.

– Nous ne devrions pas rester ici, chuchota la jeune fille à l'oreille de son précepteur.

Valentin lui saisit la main sous la table pour la calmer. Il attendit quelques minutes avant de l'entraîner vers l'extérieur.

Ils se jetèrent aussitôt dans l'ombre d'un porche : leur compagnon venait de surgir de la maison du peintre.

Il titubait, la face livide.

– Non, c'est pas vrai ! hurla-t-il.

Alerté par les cris, le tavernier sortit sur le seuil de son café :

– Tu vas te taire, Mikhaïl ! Tu veux ameuter tout le quartier ou quoi ?

L'anarchiste se précipita :

– Les deux Français, ils sont encore là ? Ce sont des taupes, j'en suis certain !

– Qu'est-ce que tu racontes ?

– Ils s'intéressaient à ces histoires de fous, à Werner ! Mince, Klaun... Il est mort ! Je l'ai trouvé là-haut sur sa paillasse, la bave aux lèvres et une seringue dans le bras. Il a dû forcer sur la dose...

Elsa et Valentin attendirent que les deux hommes retournent au bar pour émerger de leur cachette. Ils quittèrent sur-le-champ les faubourgs mal famés.

– Mademoiselle, allez vous coucher, murmura le précepteur sur le seuil du salon. Votre père ne va pas rentrer tout de suite.

Elsa secoua la tête. Elle était incapable de dire depuis combien de temps elle était assise sur la banquette, à observer les flammes de la cheminée. Elle avait juste retiré sa casquette et délié ses cheveux. Le feu ne parvenait pas à la réchauffer.

– Pourquoi ? souffla-t-elle. Pourquoi, où que nous allions, croisons-nous la mort ?

Valentin s'assit à côté d'elle et lui prit délicatement la main :

– Werner Klaun était un peintre débauché. Certains artistes pensent que les drogues leur permettent de sublimer leur art. Mais la morphine est un poison, une dangereuse camarade ! On ne joue pas impunément avec elle...

Elsa frissonna :

– Il était sans scrupules ! Cette toile horrible ! Il l'a volée à Stefan et signée de sa main. Comment un simple d'esprit peut-il réussir un tableau si effrayant ? Pourquoi a-t-il représenté cette... chose ?

Elsa plongea ses yeux dans ceux du garçon.

– J'ai peur, gémit-elle. Nous savons maintenant que les anarchistes n'ont rien à voir avec les disparitions des aliénés... Alors, que se passe-t-il réellement dans cet asile ?

Valentin était lui aussi dépité. Ils étaient revenus au point de départ de leur enquête. Pire encore, il sentait Elsa prête à se laisser de nouveau aller aux suppositions les plus folles.

– Nous rendons demain une visite au docteur Fliess, trancha-t-il. Je suis sûr qu'il aura un autre suspect, une autre piste...

– J'espère que vous avez raison, fit-elle en se levant pour rejoindre sa chambre.

Elsa s'effondra sur son lit. Elle tremblait de tout son corps. Elle s'était rattachée à la piste anarchiste pour repousser ses craintes, et les découvertes de la soirée avaient annihilé ses espoirs. Le regard de Stefan, les paroles qu'il avait prononcées sous hypnose, ses peintures dérobées par Klaun... Tous ces souvenirs obscurcissaient dangereusement la conscience de la jeune fille. Elle avait beau lutter, rien n'y faisait.

– Mes cauchemars sont en train de me rendre folle, sanglota-t-elle. C'est parce que je n'arrête pas de penser à Laughton que je crois voir sa trace partout.

Elle se déshabilla et se glissa sous les couvertures en séchant ses larmes.

– Ces aliénés ont disparu mystérieusement, mais rien, à part mes délires, ne prouve que le lord soit vraiment derrière tout cela ! Je dois faire confiance à Valentin et au docteur Fliess : ils sauront trouver l'explication de cette énigme.

Malgré ses efforts pour se rassurer, Elsa frémit en sentant le sommeil la gagner.

Les machines crépitaient de toutes les flammes de l'enfer et sifflaient un chant diabolique. Les fous formaient une longue file depuis la porte de la cave. Un par un, ils s'allongeaient sur la table d'opération. Avec une rapidité surnaturelle, le Pharaon les ligotait et serrait le casque sur leur crâne. D'un geste de chef d'orchestre, il commandait la note funeste qui arrachait au cobaye des hurlements de douleur.

Ce n'était plus l'aliéné, mais un monstre innommable qui se relevait de la table. Ses jambes et ses bras s'étaient transformés en des membres osseux à la peau verdâtre. Des pattes aux griffes écailleuses avaient remplacé ses mains. La créature ignoble rejoignait alors ses semblables dans un coin de la pièce.

Le Pharaon releva la tête lorsque ce fut le tour d'Elsa.

— Venez donc rejoindre vos frères, Mademoiselle, ricana-t-il d'une voix éraillée. Vous serez bientôt des milliers. Mon armée !

12

– Je suis ravi que vous soyez levé, Monsieur Bailly ! déclara Sigismond en franchissant le seuil de la cuisine. Je n'aurais pu partir à l'ambassade sans vous féliciter !

Le diplomate s'assit et gratifia d'un sourire la domestique qui déposait devant lui une assiette. Il tira de sa poche un fin in-folio et le tendit au garçon.

– Je vous remercie de m'avoir conseillé la lecture des *Chimères* de ce Monsieur de Nerval, poursuivit le vieil homme d'un ton enjoué. J'avoue n'avoir pas tout compris à son sombre mysticisme, mais ses sonnets m'ont permis d'attendre vos vers... Quel panache ! Et comme je vous envie cette valse avec la plus belle femme de l'empire !

Valentin bredouilla des remerciements, un œil rivé sur Elsa.

La jeune fille était attablée depuis quelques minutes et n'avait toujours pas décroché un mot. Les mains crispées sur ses couverts, elle respirait douloureusement, ressassant ses visions nocturnes. Elle avait l'impression d'avoir reçu un avertissement : les enlèvements des fous allaient continuer ! Stefan et Martha n'étaient que les premiers d'une longue liste...

Elle eut un geste d'impuissance et tourna la tête vers son père.

— Vous retournez donc au bureau, soupira-t-elle. Nous sommes le 1er janvier, il n'y aura personne. Ne pouvez-vous en profiter pour vous reposer encore un peu ?

— Je me sens mieux et je serai tranquille pour rattraper mes trois jours d'absence. De toute façon, Frau Zamenkof nous a invités à prendre le thé chez elle cette après-midi. Qu'avez-vous prévu de votre côté ?

— Une promenade...

— Vous êtes bien souvent dehors, ces jours-ci, remarqua Sigismond. Il faudrait penser à se remettre aux études. Passe pour aujourd'hui, mais ne soyez pas en retard ! Je vous ai laissé l'adresse de la baronne sur la table du salon. Elle nous attend à seize heures précises.

– Très bien, Monsieur, dit le précepteur. Nous y serons.

Une heure plus tard, les deux jeunes gens étaient assis dans le cabinet du docteur Fliess. Le psychiatre les avait pressés de raconter leur soirée. Il les avait écoutés en silence, puis s'était mis à arpenter la pièce en se frottant nerveusement les mains.

– J'avais donc raison de penser que Werner Klaun cachait quelque chose, finit-il par lâcher. Ainsi, il dérobait les tableaux de Stefan.

Elsa frissonna à l'évocation de ces toiles horribles.

– Comment ce garçon peut-il avoir une telle maîtrise de la peinture ? demanda-t-elle. Et pourquoi représente-t-il ces créatures ?

– Je me suis posé les mêmes questions quand j'ai vu ses premiers travaux. Ces monstres sont sûrement liés à une névrose infantile, et peut-être était-il un enfant talentueux avant de tomber malade. Malheureusement, ce ne sont là que des suppositions. Je n'ai trouvé aucun dossier sur lui : ni nom de famille, ni date d'entrée, ni diagnostic. Et il en est de même pour tous les patients : l'ancien directeur n'a rien laissé.

— Nous savons ce que manigançait ce peintre, intervint Valentin, impatient. Par contre, les anarchistes ne sont pas responsables des enlèvements. Alors qui ?

Fliess esquissa un sourire :

— À quoi ressemblait ce vieil homme que vous avez pris pour un terroriste ?

Le garçon hésita à réitérer sa question, car il commençait à connaître les méthodes de l'aliéniste. Aussi, il lui décrivit du mieux qu'il put l'acolyte de Klaun.

— Otto von Stosswaffen ! s'écria le docteur. Mon prédécesseur ! Je comprends maintenant pourquoi Klaun connaissait si bien l'asile ! La morphine ne s'obtient pas facilement : c'est Stosswaffen qui lui en vendait. Werner est venu me voir en pensant que je marcherais dans la même combine. Mais il a dû comprendre que je refuserais catégoriquement. Alors, il m'a raconté qu'il voulait faire une fresque de la salle de détente. Il n'a jamais commencé la moindre ébauche! En fait, il espérait tromper l'attention de mes infirmiers et piller notre armoire à pharmacie.

Intriguée, Elsa observa longuement le visage de Fliess avant d'oser parler.

– Ce docteur avait de drôles de méthodes, fit-elle. En savez-vous plus sur lui? Pensez-vous qu'il pourrait être le coupable que nous cherchons?

La jeune fille sentait soudain renaître l'espoir de voir ses craintes refluer. Elle retint sa respiration en attendant la sentence du psychiatre. Mais ce dernier attrapa sa canne et ouvrit la porte de son bureau:

– Suivez-moi, je vais vous montrer quelque chose.

Il les conduisit devant l'entrée du quartier de sécurité.

– Comme vous le savez, la police m'a obligé à enfermer mes patients ici. Arheim est resté hier jusqu'à que chaque malade soit dans une cellule, les chaînes au pied. Cet officier sans cœur semblait se réjouir du spectacle!

La porte de métal s'ouvrit sur une pièce aveugle. Fliess fouilla dans sa poche et craqua une allumette, qu'il approcha du bec d'une lampe à pétrole. Une clarté diffuse emplit les lieux, révélant une grille rouillée qui barrait l'accès à un tunnel humide s'enfonçant dans l'obscurité. Les murs de pierre suintaient comme ceux d'une cave.

— Les fous..., murmura Elsa. On n'entend pas un bruit !

— Je sais, soupira le docteur. Depuis qu'ils sont ici, ils sont tous tombés dans une profonde apathie. Ces cachots doivent leur rappeler de mauvais souvenirs...

— Que vouliez-vous nous montrer ? demanda Valentin.

— Oui, excusez-moi. Vous voyez cet escalier à côté de vous ?

Le garçon inspecta les marches inégales qui montaient contre le mur.

— C'est curieux : il n'aboutit nulle part. Il n'y a même pas de porte !

Il s'avança prudemment sur les degrés branlants. Une fois en haut, il alluma son briquet pour examiner les parois.

— Ça alors !

Un carré se dessinait sur le plafond. Valentin le poussa... Une trappe s'ouvrit.

– Le deuxième étage, s'exclama-t-il en passant la tête. Le couloir des chambres !

– Nous pouvons remercier Arheim, maugréa Fliess. Sans ses idées rétrogrades sur la psychiatrie, je n'aurais pas fait cette découverte. Je n'étais jamais rentré dans cette aile.

Malgré l'aspect sinistre des lieux, Elsa sourit. « J'avais raison de chercher une explication rationnelle, se félicita-t-elle. Bientôt, j'oublierai tout le reste. »

– Cela nous fait un accès, commenta-t-elle. Mais il faut aussi entrer dans le quartier de sécurité...

– Il y a une cave au bout du couloir, répondit le psychiatre d'une voix fiévreuse. Une trappe similaire ouvre sur la salle de la chaudière qui alimente l'asile. Là, une porte donne sur l'extérieur.

– Voilà le chemin emprunté par le coupable ! s'exclama la jeune fille. Montrez-nous !

Fliess ouvrit la grille. Il attendit que Valentin soit redescendu pour s'avancer dans les ténèbres.

Elsa se mit aussitôt à regretter sa curiosité. Aucun bruit ne filtrait sous les portes, comme si les cellules étaient inhabitées. Pourtant, elle devinait les silhouettes des fous à travers les judas. Ils étaient tous recroquevillés sur des paillasses rudimentaires. Parfois, la lueur de la lampe se réfléchissait sur les lourdes chaînes fixées à leurs chevilles et à leurs poignets.

– C'est ici, fit l'aliéniste en poussant un battant.

Elsa resta un long moment sur le seuil, pétrifiée. Son regard apeuré glissa sur les murs jaunâtres, sur la table d'opération. Elle chercha son souffle du bout de ses lèvres exsangues.

– Cette cave..., suffoqua-t-elle. C'est celle de mes cauchemars !

Elle s'accrocha au bras de son précepteur pour ne pas défaillir.

– Ça ne va pas, Fräulein ? demanda Fliess en s'approchant pour la soutenir.

Elsa expira profondément.

– Ce n'est rien, dit-elle d'une voix blanche. Je suis un peu nerveuse en ce moment, et mes nuits sont agitées.

– Ne restons pas ici. Venez vous reposer dans mon cabinet.

De retour dans le bureau, le psychiatre la fit asseoir sur le sofa. Elle était d'une pâleur cadavérique.

– Vous faites des cauchemars, et vous avez l'impression d'y avoir vu cette cave, c'est cela ?

— Oui, enfin... je ne sais pas. Mes rêves sont très étranges. C'est un peu long à expliquer, et je suis fatiguée.

— Je vois. Les récents événements ont dû stimuler votre imagination nocturne. Il ne faut pas vous inquiéter. Vous me raconterez tout cela en détail ce soir. D'ici là, je vais essayer de me renseigner sur Stosswaffen.

— Vous pensez qu'il est notre coupable ? s'enquit Valentin.

— Oui. Il n'y a que lui qui puisse être au courant de ce passage secret. De plus, la porte de la chaufferie n'a pas été forcée. Donc, celui qui a agi avait les clés. J'ai vérifié : aucun trousseau n'a disparu depuis mon arrivée.

— Mais pourquoi enlèverait-il ses anciens malades ? s'étonna le garçon.

Elsa tressaillit. Elle se rappela son dernier rêve, tous ces fous transformés en monstres. L'ancien directeur travaillait-il pour Aleister ? Livrait-il les aliénés au lord afin que celui-ci exerce sur eux ses pouvoirs maléfiques ?

— Une fois que je saurai où il habite, lâcha l'aliéniste, c'est bien le mystère qu'il vous faudra élucider en allant l'espionner.

13

Quand ils rentrèrent à l'appartement, toutes les craintes d'Elsa s'étaient transformées en une farouche détermination. Pour la première fois depuis le début de cette enquête, ses hallucinations trouvaient écho dans la réalité. À l'heure du déjeuner, elle attendit que Gudrun disparaisse pour parler à Valentin :

– Il faut arrêter ce médecin véreux avant qu'il ne soit trop tard ! Il va continuer à enlever des fous !

Nerveux, Valentin repoussa son assiette.

– Comment pouvez-vous en être sûre ? Le docteur Fliess va certainement faire le nécessaire pour condamner le passage secret.

– Vous ne comprenez pas... Cette cave ! C'est exactement celle de mes cauchemars ! Comment est-ce possible ? Cela ne veut-il pas dire que mes rêves sont des présages ?

Le garçon serra les mâchoires. Il devait à tout prix calmer les ardeurs de son élève.

— Peut-être n'aurais-je pas dû étudier avec vous les vers de Lord Byron et la prose de Mary Shelley. Enfin, que croyez-vous ? Que l'ancien directeur de l'asile est une sorte de docteur Frankenstein qui, la nuit venue, s'adonne à des expériences monstrueuses sur ses patients ? C'est de la littérature !

— Ce n'est pas Stosswaffen que je crains ! s'emporta Elsa.

Le sang était monté à ses joues. Elle tremblait de tous ses membres.

— J'ai peur, gémit-elle. Peur de ce que nous allons découvrir. Et si ce docteur n'était qu'un intermédiaire ? S'il était l'homme de main d'Aleister ?

Valentin se leva brusquement et cogna du poing sur la table.

— Combien de fois devrai-je vous le répéter ? Laughton est mort ! Pourquoi vous entêtez-vous à penser qu'il puisse être impliqué dans ces disparitions ?

Elsa ferma les yeux et se massa les tempes. Son esprit était le théâtre d'une bataille violente.

Elle savait bien qu'elle se laissait emporter par son imagination, mais cette aspiration morbide était irrépressible. Si ses cauchemars étaient aujourd'hui prémonitoires, il en avait été de même pour ceux qu'elle avait faits à Londres. Cela signifiait que le lord avait bien des pouvoirs magiques ! Grâce aux secrets des *Manuscrits d'Elfaïss*, était-il maintenant capable de changer les gens en créatures abjectes ? Utilisait-il les fous comme matière première pour façonner une armée de monstres à ses ordres ? Si tel était le cas, bientôt plus rien ne l'arrêterait !

– J'ai vraiment l'impression de perdre la raison ! lâcha-t-elle en rouvrant les paupières. Vous ne pouvez savoir combien j'espère me tromper.

Inquiet, Valentin vint s'asseoir à ses côtés.

– Promettez-moi de raconter vos cauchemars au docteur Fliess, comme il vous l'a demandé. C'est un homme brillant : il saura vous rassurer.

Elsa se contenta de hocher la tête. Ils finirent leur repas en silence, puis chacun rejoignit sa chambre afin de se reposer.

Il était tout juste seize heures quand la calèche de l'ambassade de France s'immobilisa sur la Schwarzenbergplatz.

– Voici donc la demeure de cette chère Frau Zamenkof! soupira Elsa en descendant du marchepied.

Avec ses arcs et ses colonnes, la façade de l'hôtel particulier s'intégrait merveilleusement aux immeubles qui bordaient la place. Tous ces palais signifiaient avec force que les lieux étaient occupés par la haute aristocratie autrichienne.

– Une veuve sans enfants ne peut quand même pas occuper toutes les pièces de cette maison! commenta la jeune fille en contemplant les immenses fenêtres qui semblaient l'épier.

– Mademoiselle, ne recommencez pas! l'implora son précepteur. Votre père serait fâché de tout manquement à l'étiquette.

Elsa se renfrogna, furieuse de perdre son temps à des mondanités. Après ce qu'elle avait appris à l'asile, elle bouillait de savoir où Stosswaffen se terrait, de partir l'espionner pour comprendre enfin le sens de ses rêves.

Ils traversèrent le vestibule et Valentin frappa à la porte d'entrée. Pas de réponse.

Il cogna de nouveau.

– Voilà mes charmants Français! gloussa Frau Zamenkof en ouvrant. Excusez-moi, mais Lothar, mon homme à tout faire, s'est absenté. J'espère que vous n'avez pas trop attendu.

Elle chercha le diplomate du regard.

– Sigismond n'est pas avec vous ?

– *Monsieur de Costières* est retourné aujourd'hui à l'ambassade, rétorqua Elsa sèchement.

– Il ne devrait pas tarder, s'empressa d'ajouter Valentin. Nous nous sommes donné rendez-vous ici.

– Eh bien, nous allons patienter... Je vous en prie, entrez !

Le long couloir qui desservait les appartements resplendissait d'un faste d'une autre époque. Les lustres, les glaces et les boiseries dorées à l'or fin imitaient la décoration du palais impérial. Les deux jeunes gens suivirent Frau Zamenkof. Ils débouchèrent dans un corridor où les grandes fenêtres filtraient la pâle lueur du dehors.

Elsa s'arrêta net en découvrant l'assemblée réunie dans la salle de réception. Les robes raffinées, les fracs sombres et les uniformes militaires composaient un parterre de couleurs d'où s'élevait une rumeur sourde.

«Nous sommes jeudi ! songea-t-elle, angoissée. Comment ai-je pu oublier ? La baronne n'arrête pas d'en parler... »

Chaque jeudi, la vieille dame tenait en son domicile un salon mondain. Elle y recevait l'élite de la culture autrichienne. Notables, hommes de lettres et scientifiques se retrouvaient pour converser et partager leurs points de vue éclairés. C'était une mode typiquement viennoise, et nombre de réunions similaires avaient lieu dans la ville. Mais c'était bien chez Frau Zamenkof que se croisaient les personnes les plus illustres, ce qui lui conférait une position enviée dans la haute société.

— Il ne faut pas vous sentir mal à l'aise. Suivez-moi...

Nerveuse, Elsa rajusta sa robe et passa son bras sous celui de Valentin.

— Catherine, ma chère Catherine ! susurra la baronne en s'approchant d'une de ses invitées. Vous souvenez-vous de ce charmant Monsieur de Costières ?

Le visage fin de la jeune femme s'éclaira d'un sourire.

— Bien sûr, répondit-elle avec un fort accent hongrois. Qui pourrait oublier un homme si délicieux ?

— Laissez-moi alors vous présenter sa fille, Elsa, et Monsieur Bailly, le précepteur de celle-ci.

Fräulein Schratt est actrice, continua la douairière à l'attention des nouveaux arrivés. Chaque soir, elle illumine le Burgtheater de son talent!

Les joues rosies, la comédienne effectua une révérence appuyée:

– Enchantée de faire votre connaissance. Votre père m'a beaucoup parlé de vous: si vous saviez comme il est fier de sa fille!

Elsa fronça les sourcils. Elle se méfiait toujours des femmes qui couvraient Sigismond de louanges, les soupçonnant de voir dans le diplomate un riche parti à saisir. La jeune fille n'accepterait jamais que quiconque vienne prendre la place de sa mère! Elle s'apprêtait à répondre rudement lorsqu'elle vit Frau Zamenkof pâlir.

Deux hommes en manteau se tenaient à l'entrée du salon. À côté d'un échalas dont le haut-de-forme était couvert de neige, Elsa reconnut Stosswaffen. Il rajusta son foulard sous son menton adipeux et lissa les mèches de cheveux gris qui survivaient sur ses tempes.

– Veuillez m'excuser un instant, dit la baronne avant de quitter la pièce.

Elsa ne put se défaire d'une insidieuse sensation de répulsion en observant la vieille dame, le docteur et son acolyte qui disparaissaient dans un couloir des appartements.

– Qui est ce monsieur ? demanda-t-elle à Fräulein Schratt.

L'actrice jeta un regard par-dessus son épaule. Soudain, ses traits se déformèrent, sa naïveté apparente s'envola. Elle tomba son masque de bienséance.

– Otto von Stosswaffen, siffla-t-elle. Je suppose que depuis qu'il a perdu son poste de directeur de l'asile, Frau Zamenkof ne souhaite pas qu'on les voie ensemble. Pourtant, ils s'accordent si bien : la folle et son docteur !

Elsa et Valentin restèrent interdits.

– L'humeur volage de cette chère baronne n'est un secret pour personne, expliqua la jeune femme. Elle aime les hommes, et les consomme sans modération. D'ailleurs, à votre place, je veillerais sur Monsieur de Costières...

La comédienne retrouva d'un seul coup un ton mondain.

– L'épouse du directeur du théâtre semble s'ennuyer, soupira-t-elle en s'éventant d'une main. Vous permettez ?

Seuls, les deux Français se concertèrent du regard. Ils s'assurèrent que personne ne leur prêtait attention et s'éclipsèrent. Ils longèrent à pas de loup plusieurs corridors. Des éclats de voix leur parvinrent d'un boudoir. En collant leur oreille contre la porte, ils perçurent les sanglots de Frau Zamenkof :

– Ce pauvre Werner...

– Oubliez donc cette vermine ! tonnait Stosswaffen. Il n'était pas digne de vous. Vous auriez dû le voir me supplier lorsque je suis allé le trouver. Depuis mon départ de l'asile, il ne pouvait plus se fournir en morphine. Il m'a accueilli comme le messie.

– Vous êtes un meurtrier !

– De toute façon, son vice le condamnait à la mort ! J'ai simplement hâté son destin en lui donnant une drogue de ma propre invention, un poison fatal.

Cette révélation fut suivie d'un silence profond. Valentin saisit la main tremblante d'Elsa. Il se tenait prêt à décamper au moindre signe.

Mais la voix de Stosswaffen reprit :

– J'étais ivre de rage ; je ne supportais pas de vous savoir dans les bras de cet homme. J'ai tout essayé pour vous reconquérir. J'avais même l'intention de vous rendre jalouse en invitant l'impératrice à danser. Ce blanc-bec m'a devancé avec sa poésie de basse-cour !

– Vous avez tué un homme, et vous me parlez d'amour ? Vous êtes un monstre, Otto. Je vais vous dénoncer à la police !

Le rire fou du docteur glaça les sangs d'Elsa :

– Vous tenez trop à votre réputation pour vous y résoudre ! Et vous ne pouvez pas me faire ça ! Depuis des nuits, j'œuvre dans mon laboratoire et mes travaux avancent à grands pas. Maintenant que j'ai récupéré la cantatrice, plus rien ne peut m'arrêter. Je suis sur le point de changer le monde...

Valentin sursauta en entendant une porte s'ouvrir dans le boudoir.

– Il y a un autre accès, chuchota-t-il. Vite, il faut le suivre !

Les deux jeunes gens se ruèrent vers la sortie. Ils traversèrent le vestibule et débouchèrent dans la rue. En courant, le précepteur heurta un homme qui arrivait en sens inverse.

– Holà ! fit Sigismond. Où courez-vous donc ainsi ? Ne me dites pas que vous partez déjà ?

Surpris, le garçon chercha ses mots :

– Non... Nous venions juste voir si vous arriviez.

– Eh bien, je suis là !

Mais Elsa ne l'entendait pas. Elle avait vu Stosswaffen qui montait dans une voiture stationnée à quelques mètres de l'hôtel de la baronne. Son acolyte remonta les manches de son manteau pour se hisser sur le siège du cocher. La jeune fille découvrit alors avec terreur le poignet nu du domestique. Un symbole, tout droit sorti de ses cauchemars, y était gravé au fer rouge.

«Un œil oudjat, s'affola-t-elle. La marque d'Aleister Laughton ! »

14

Elsa et Valentin durent se résigner à rejoindre la réception en compagnie de Sigismond. Ils attendirent plusieurs minutes devant la porte avant que Frau Zamenkof ne vînt leur ouvrir.

– Mes enfants ! s'exclama-t-elle. Je vois que vous avez retrouvé notre cher Monsieur de Costières. Entrez, entrez !

La vieille dame affichait un air réjoui. Elle paraissait avoir déjà oublié la visite de Stosswaffen. Elle les précéda jusqu'au salon et entreprit de faire les présentations avec chaque groupe d'invités.

Perdue dans ses pensées, Elsa n'offrit aux convives que des sourires crispés et des phrases anodines. Elle profita de la première occasion pour aller se réfugier dans un fauteuil à l'écart.

Elle observa de loin son père et son précepteur qui se prêtaient aux usages et se mêlaient aux discussions ; mais son esprit était ailleurs. Son cerveau s'était remis à moudre inlassablement les images de ses cauchemars. Elle perdit la notion du temps et se laissa hypnotiser par le souvenir des transformations ignobles qui peuplaient ses rêves.

Dehors, la nuit était tombée et un vent violent se leva. Des tourbillons de neige se déchaînèrent derrière les fenêtres comme un funeste écho à l'angoisse qui étreignait la poitrine de la jeune fille.

Ainsi, l'ancien directeur de l'asile avait bien enlevé Stefan et Martha. À n'en pas douter, il menait des expériences sur les fous. Elsa se torturait l'esprit pour comprendre le lien entre cet homme et Laughton, car elle ne pouvait maintenant refuser l'évidence. L'acolyte de Stosswaffen avait un œil oudjat tatoué sur le poignet. Ce symbole égyptien figurait sur une tenture dans la cave d'Aleister à Londres. C'était sa marque, sa signature.

– « *Il* est de retour ! »

Elsa sursauta en entendant la voix de Sigismond :

— Ma chérie, je n'apprécie pas trop ta conduite. Viens au moins saluer Frau Zamenkof.

— Nous partons ? demanda-t-elle en clignant des yeux.

— En fait, je retourne à l'ambassade. J'ai beaucoup plus de travail en retard que je ne le pensais. Rentre donc avec Valentin, et ne m'attendez pas pour dîner.

Affaiblie par la fièvre, Elsa se leva en grimaçant. Elle s'appuya sur le bras de son père, et ils rejoignirent Valentin et la baronne dans le couloir.

— Ce fut un plaisir de vous voir, fit la douairière en les raccompagnant. Sachez que vous êtes toujours les bienvenus ici.

Une fois dans la rue, Valentin attendit que la voiture du diplomate disparaisse dans les bourrasques de neige pour se tourner vers son élève :

— Parfait ! Nous aurons le temps de raconter au docteur Fliess ce que nous avons entendu.

Il s'élança sur le trottoir en direction de leur calèche, mais Elsa resta immobile.

— Enfin, Mademoiselle ! lança-t-il en revenant sur ses pas. Nous devons nous dépêcher ! Vous rendez-vous compte ? Nous avons la preuve que l'ancien directeur de l'asile est bien notre coupable !

La jeune fille fixait en silence le visage singulier du garçon. Visiblement, il n'avait pas aperçu le tatouage du compagnon de Stosswaffen.

Elle n'osa pas lui en parler ; elle savait déjà qu'il évoquerait une hallucination ou une simple coïncidence. Elle aurait beau tenter de le convaincre, il continuerait à nier que Laughton puisse de nouveau croiser leur chemin. Valentin ne croyait pas à toutes ces histoires de rêves prémonitoires ou de pouvoirs magiques ; et surtout, il ne voulait plus entendre parler d'Aleister. Il souhaitait oublier que ce personnage malsain était son père. « Il ne me croira que lorsqu'il verra le Pharaon de ses propres yeux. Dans le laboratoire de Stosswaffen... »

– Excusez-moi, finit-elle par lâcher. Allons-y.

Sur le chemin de l'asile, le cocher dut sans cesse calmer les chevaux. Le vent et la neige affolaient les bêtes, leurs sabots glissaient sur la chaussée.

– Je suis désolé, cria-t-il quand les jeunes gens descendirent devant la clinique psychiatrique. Je ne peux pas vous attendre. La tempête est en train de se lever, et les rues seront bientôt impraticables.

Emmitouflée dans son manteau, Elsa lui fit signe de partir.

– Nous rentrerons à pied.

Elle s'avança vers le tuyau acoustique et s'annonça. Peu après, Joseph Fliess sortit du bâtiment et traversa le parc en s'appuyant sur sa canne. Il ouvrit la grille et les conduisit à l'intérieur.

– Quel temps exécrable ! souffla-t-il en arrivant dans le hall.

Il attendit que ses invités se soient débarrassés de leurs manteaux pour traverser le sas d'entrée et rejoindre son cabinet. Chacun s'installa confortablement et reprit son souffle.

– J'ai fait tout ce que j'ai pu pour retrouver Stosswaffen, commença le psychiatre, mais personne ne sait où il est. Il a quitté son appartement sans laisser d'adresse.

– Nous l'avons vu aujourd'hui chez la baronne Zamenkof, révéla Valentin.

Fliess posa son regard perçant sur le précepteur :

– Quelle coïncidence ! Racontez-moi.

Il écouta en silence le récit du garçon, puis rejeta la tête en arrière, les yeux fermés pour mieux se concentrer.

– Stosswaffen affirme mener des travaux, fit-il d'une voix grave. Il tente sans doute d'élaborer ses propres thérapies. Mes malades devaient être ses cobayes du temps où il était directeur. En perdant son poste, il a aussi perdu ses sujets d'étude...

– Il aurait donc enlevé Stefan, puis Martha pour continuer ses expériences ? intervint le précepteur. Pourquoi prendrait-il un tel risque ? C'est de la folie !

Le docteur se redressa :

– Les traitements psychiatriques prennent du temps, et il ne voulait sans doute pas reprendre tout à zéro avec de nouveaux patients. De plus, une telle conduite semble cohérente avec son profil psychologique. Je ne l'ai jamais rencontré, mais ce que vous m'avez raconté est éloquent. Il a tué Werner par jalousie, il était sûr que la baronne Zamenkof lui pardonnerait. Il est donc violent, orgueilleux et possessif, voire illuminé.

Elsa se mordit les lèvres.

– Que fait-il exactement aux fous ? demanda-t-elle.

– À en juger par l'état nerveux dans lequel nous avons retrouvé Stefan, je pencherais pour des traitements de choc. La psychiatrie est une science neuve, et les mécanismes de la folie sont loin d'être élucidés. Certains de mes soi-disant confrères pensent que la violence, physique ou mentale, peut soigner les aliénés.

La jeune fille eut la chair de poule. Les hurlements des cobayes de ses rêves résonnaient dans sa tête.

– J'ai réfléchi toute l'après-midi à l'enlèvement de Stefan et à l'incident qui a suivi, poursuivit Fliess. J'ai tenté de reconstruire le fil des événements ; malheureusement, j'en suis toujours réduit aux suppositions. Après avoir enlevé Stefan, Stosswaffen l'a conduit à son laboratoire. Des sévices, dont nous ignorons la nature exacte, ont dû pousser ce pauvre garçon à bout. Mais après ? Que s'est-il passé ?

Valentin se frotta les tempes, tentant de rassembler ses idées.

– Si Stefan est entré en crise pendant que l'ancien directeur le maltraitait, la réaction normale semble la fuite. Peut-être a-t-il attrapé un scalpel qui traînait pour menacer son geôlier.

– C'est possible. Mais reste toujours le mystère du lustre. Comment est-il arrivé là ? Un fou ne peut pas traverser toute la ville en pyjama sans être remarqué !

Elsa sursauta :

– Le laboratoire ! Il est dans les combles du Staatoper.

Le psychiatre écarquilla les yeux.

– C'est effectivement la seule explication. Mais pourquoi choisir un tel endroit ?

Elsa retint son souffle, comme un noyé essayant de rejoindre la surface. Elle ne doutait pas un instant de connaître la réponse. « Le chant des machines ! Les gens doivent penser qu'une diva fait des vocalises dans une des salles de répétition. Pendant ce temps-là, Stosswaffen aide Laughton à transformer les fous en créatures innommables ! »

Fliess se leva et se mit à arpenter la pièce :

– La musique doit avoir un lien avec ses méthodes ! C'est sûrement lui qui a appris à mes patients à chanter des airs d'opéra. Croit-il pouvoir ainsi soigner les maladies mentales ?

– Il ne va pas s'arrêter là ! s'écria Elsa, cédant à la panique. Les enlèvements vont continuer.

– Il peut toujours essayer ! J'ai fait murer les trappes dans le quartier de sécurité, et la porte de la chaufferie a été changée. Enfin, mes infirmiers vont lâcher des chiens dans le parc.

L'aliéniste s'approcha de la fenêtre et souleva le rideau d'une main nerveuse. Dehors, la tempête s'acharnait sur la ville.

— Impossible de sortir avec ce temps! Pourtant, il nous faut agir vite: j'ai peur pour la vie de Martha. Dès que cela se calme, je cours demander audience à l'impératrice.

— Vous n'avez toujours pas confiance dans la police? demanda le précepteur.

— Non. Plus j'y réfléchis, plus je me dis qu'Arheim est au courant des agissements de Stosswaffen. Dès le premier jour, je lui en ai parlé, mais il n'en a pas fait grand cas. Au contraire, il a cherché par tous les moyens à me faire porter la faute. D'abord, en prétextant mon incompétence, puis en me soupçonnant de comploter avec les anarchistes.

— Vous avez l'impression qu'il le protège?

— En réalité, je pense qu'il protège la réputation de Frau Zamenkof. Elle est proche du cercle impérial; si les crimes de Stosswaffen étaient révélés, la liaison de la baronne avec ce monstre lui porterait préjudice.

— Il y a autre chose, haleta Elsa, au bord de la syncope. Stosswaffen n'est qu'un pion.

Elle passa une main sur son front en sueur :

— Il faut me croire ! Je le vois dans mes cauchemars !

Fliess s'adressa à Valentin :

— Monsieur Bailly, nous sommes bloqués ici jusqu'à la fin de cette tempête. J'ai bien peur que ce ne soit pas pour tout de suite. Pourriez-vous aller voir en cuisine si vous trouvez de quoi nous confectionner un en-cas ?

Le précepteur hésita un instant ; puis, comprenant que le psychiatre souhaitait rester seul avec Elsa, il acquiesça d'un signe de tête et sortit.

Fliess s'installa sur une chaise à côté du divan.

— Venez par ici, Fräulein, demanda-t-il.

La jeune fille fronça les sourcils.

— Faites-moi confiance. Vous serez plus à l'aise pour me parler de vos rêves.

Elle se leva et vint s'allonger, les mains posées sur la couverture de cachemire. Du coup, elle ne voyait plus le psychiatre, assis à la tête du sofa.

— Détendez-vous. Je vous écoute.

Elsa demeura muette. Devait-elle vraiment raconter ses hallucinations, expliquer les terribles soupçons qui la rongeaient? Fliess n'allait-il pas tout simplement la croire folle? «Je n'ai rien à perdre», pensa-t-elle amèrement.

Sa voix fut d'abord un murmure quand elle commença à évoquer ses songes. Puis, à mesure qu'elle les décrivait, elle sentit comme une libération. Les mots se précipitaient à sa bouche, les sujets s'entremêlaient. Elle s'entendit parler dans le désordre de son aventure à Londres, mais aussi de Valentin, de son père, ou encore de Stefan et des créatures qu'il peignait. Elle se tut en réalisant que son discours devait être incompréhensible.

— Je suis désolée, fit-elle en se relevant sur un coude pour voir l'aliéniste. Ce n'est pas très clair.

Fliess était penché sur un calepin où il prenait des notes. Il écrivit encore quelques mots et posa son crayon.

— Au contraire, fit-il en lui souriant. Je m'aperçois que vous considérez vos rêves comme des messages ou des prémonitions. Fräulein, vous devez comprendre que vos songes ne sont qu'un reflet complexe de vos émotions ou de vos peurs. Des souvenirs douloureux vous obsèdent, et tant que vous ne les aurez pas exorcisés, vous vivrez dans l'angoisse.

Elsa frotta ses yeux fatigués. Elle s'aperçut soudain qu'elle n'avait prononcé aucune fois le nom d'Aleister Laughton.

— Je vais reprendre depuis le début, lança-t-elle en se rallongeant.

Elle inspira profondément et fit remonter sa mémoire jusqu'à la soirée de son départ de Paris. C'était là qu'elle avait croisé pour la première l'ombre du lord. Concentrée, elle reprit son récit d'une voix monocorde. Elle ne se contenta pas uniquement de raconter des faits, mais décrivit aussi les sentiments qui l'avaient assaillie tout au long de cette histoire. Peu à peu, la tension qui l'habitait se fit plus lâche. Elle se surprit à souligner le réconfort que lui avait apporté son précepteur. Pour la première fois, elle mettait bout à bout toutes les attentions du garçon. Elle rougit en évoquant leurs rares instants d'intimité. Comment avait-elle pu être aveugle à ce point?

— Je crois qu'il est amoureux, chuchota-t-elle.

Elle ferma les paupières et se tut, un sourire accroché aux lèvres, en pensant au jeune homme. Elle se sentait à la fois si vide et si sereine! Les rafales de blizzard qui se pressaient contre les murs de l'asile la berçaient... Le sommeil la gagna.

Aussitôt le cauchemar déchira le voile de ses pensées.

Le vent avait cessé, et la lueur de la lune filtrait dans la cellule. Perdue, Elsa laissa son regard dériver sur les murs capitonnés. Elle tenta de se relever, mais elle en fut empêchée. Ses bras étaient emprisonnés dans une camisole de force. Des sangles accrochées aux montants du lit enserraient sa poitrine.

Un râle de terreur monta de sa gorge lorsqu'elle aperçut l'ombre effrayante qui se dessinait sur le sol. Elle tourna lentement la tête vers la lucarne.

– Mon Dieu !

Derrière les barreaux, la créature fixait la jeune fille d'un air avide. Sa gueule était grande ouverte, et sa langue verdâtre dansait entre ses crocs.

Elsa se réveilla en sursaut. Elle était seule dans le bureau, dont les coins avaient disparu dans une obscurité inquiétante. Obéissant à une impulsion, elle se leva et marcha vers la fenêtre. Un cri désespéré retentit dans le parc au moment même où elle soulevait le rideau.

Un monstre, semblable à celui du tableau de Stefan, se dressait au cœur de la tempête. Des flots de sang coulaient de sa gueule, se répandant sur la neige en une tache écarlate. Il ouvrit les mâchoires, abandonnant sa proie.

– NON !

Le corps inerte de Stefan tomba sur le sol, et le monstre disparut dans le maelström.

15

Valentin et le docteur Fliess étaient attablés aux cuisines quand des hurlements couvrirent le bruit de la tempête. Ils jaillirent dans le couloir, où les infirmiers venaient déjà à leur rencontre. Le précepteur se raidit en entendant les cris d'Elsa.

– Mathias, Klaus! ordonna le psychiatre. Prenez les fusils!

Il se tourna vivement vers Valentin:

– Monsieur Bailly, allez trouver Fräulein de Costières. Le cri a dû la réveiller et l'effrayer.

Sans attendre de réponse, l'aliéniste claudiqua jusqu'au sas d'entrée et disparut avec les deux hommes en blanc. Le garçon courut vers le bureau.

Il découvrit Elsa recroquevillée sur le sol.

– Mademoiselle, que se passe-t-il? demanda-t-il en s'agenouillant à ses côtés.

La jeune fille ne répondit pas. Elle tremblait de tout son corps, la sueur perlait sur ses tempes. Elle haletait, comme plongée dans un rêve éveillé.

– Parlez-moi !

Elsa tourna lentement vers lui son visage blafard.

– Une créature..., balbutia-t-elle. Elle a tué Stefan.

Deux grosses larmes coulèrent le long de ses joues.

– Calmez-vous, murmura son précepteur en lui caressant les cheveux. Vous vous êtes endormie après avoir parlé au docteur. Vous avez fait un cauchemar.

– Non. Cette fois, le monstre était bien réel !

Des coups de feu éclatèrent dans la nuit. Valentin sursauta et se rua à la fenêtre. Il plissa les yeux et aperçut les deux infirmiers qui luttaient contre les bourrasques de neige. Ils revenaient vers l'asile en portant une dépouille ensanglantée.

Le jeune homme recula et inspira pour faire refluer sa panique. Il se pencha de nouveau vers son élève.

– Ne bougez surtout pas ! commanda-t-il. Je reviens.

Le cœur défaillant, il se précipita dans le hall. Fliess venait de jeter un drap sur le canapé de la réception. La toile, trop courte pour dissimuler entièrement le cadavre, se marbra de taches écarlates.

– Stefan est mort, annonça l'aliéniste d'une voix grave. Son corps est couvert de morsures. Nous avons été obligés d'abattre les chiens.

Valentin se prit la tête à deux mains.

– Stosswaffen est revenu, souffla-t-il. Comment a-t-il pu...

– Je vais au quartier de haute sécurité, l'interrompit Fliess. Vous, passez par l'extérieur !

Le précepteur enfila son manteau.

– Prenez garde, fit un infirmier en lui tendant son fusil. On n'y voit pas à trois mètres !

Valentin hésita. Il n'aimait pas les armes à feu, qui lui rappelaient la violence de son passé anarchiste. Pourtant, il saisit l'arme par la crosse et sortit.

Dehors, le vent violent soulevait la neige en trombes cinglantes. Les flocons s'étaient changés en grêlons coupants qui crépitaient sur les murs de l'asile.

Le garçon releva le col de son manteau avant de s'enfoncer dans la nuit. Aucune lumière ne filtrait à travers le brouillard. Il avait l'impression d'être perdu au milieu d'un désert de glace.

Prenant son courage à deux mains, il progressa lentement vers la deuxième aile de la clinique. Il entendait au loin un battement régulier. Se protégeant les yeux d'un bras, il inspecta les alentours et repéra une porte qui claquait au gré du vent.

Il rassembla ses forces pour parcourir les derniers mètres qui le séparaient du passage. Une fois à l'abri, il se secoua pour briser la carapace de neige qui l'avait recouvert.

– Stosswaffen est un acharné, murmura-t-il en avisant la serrure arrachée.

S'évertuant à retrouver son souffle, il sentit l'odeur lourde du charbon. La chaudière ronronnait. Les flammes de son foyer se reflétaient sur les conduites d'eau chaude qui couraient au plafond.

Valentin manqua de s'étouffer en découvrant le trou qui crevait l'un des murs. La trappe avait été littéralement défoncée, et les pierres s'étaient répandues sur le sol.

Il s'avança et se glissa à travers le passage. Il se

retrouva nez à nez avec le docteur Fliess, qui l'attendait dans la cave du quartier de haute sécurité.

— Quelle folie habite donc Stosswaffen? rugit le psychiatre.

— Il a forcé la porte et la trappe. Avec le bruit de la tempête, nous ne l'avons pas entendu.

Désespéré, l'aliéniste s'assit sur le coin de la table de métal.

— C'est un monstre! Il a dû se faire surprendre par les chiens, et il a abandonné Stefan à son sort pour couvrir sa fuite. Il a laissé le pauvre garçon se faire dévorer!

Il cogna le sol de sa canne:

— Je n'ai pas le choix. Il faut de suite prévenir la police. Martha est toujours dans ses griffes. Je ne peux plus prendre de risques.

Il consulta sa montre et se leva:

— Il est à peine dix heures. Je vais faire prévenir Arheim par un de mes infirmiers. Rentrez chez vous avec Fräulein de Costières. Cette histoire n'est plus pour elle. Elle est trop faible mentalement et a besoin de repos.

Notant l'hésitation du précepteur, Fliess s'approcha et lui posa une main sur l'épaule:

– Ne vous inquiétez pas. La police va arrêter
Stosswaffen. Demain matin, tout sera fini. J'ai-
derai alors votre élève à oublier ses cauchemars.
Comptez sur moi.

Ils sortirent de la cave et longèrent le couloir
du quartier de sécurité. Malgré le terrible incident,
les fous étaient silencieux, demeurant prostrés
dans un coin de leur cellule.

– Ils sont terrorisés, expliqua Fliess avant que
Valentin ne lui pose la question.

Ils franchirent la grille d'entrée, et le docteur
verrouilla la porte derrière eux.

– Je dois parer au plus pressé, fit-il en s'éloignant. Retrouvez-moi dans le hall.

Valentin s'avança lentement vers le cabinet.
Elsa était toujours immobile sur le sol, le regard
dans le vide. Ses lèvres tremblaient, elle ressassait
à voix basse un monologue intérieur.

Il la prit dans ses bras pour la réconforter :

– Le docteur Fliess va immédiatement alerter
les autorités. Stosswaffen a réussi à entrer dans
l'asile. Il a essayé d'enlever Stefan, mais il s'est
enfui quand les chiens ont attaqué. Les bêtes ont
tué le garçon.

– Non, gémit-elle d'une voix blanche. Je sais reconnaître un chien !

Elle s'écarta et ravala ses larmes.

– Ce que j'ai vu dans le parc n'a pas de nom ! C'était... monstrueux !

Valentin sentit une vague de désespoir le submerger. Il n'avait jamais vu la jeune fille dans un tel état et ne savait que faire pour la calmer.

– L'appartement n'est pas loin, dit-il. Vous avez besoin de repos. Votre père est sûrement rentré, il doit être très inquiet.

Elsa se raidit :

– Un homme vient d'être sauvagement assassiné sous mes yeux, et vous me proposez d'aller tranquillement me coucher, comme si rien ne s'était passé ? Et c'est moi qu'on prend pour une folle ? Sachez que je serais plus confiante dans ma raison si vous arrêtiez de me persuader que je suis victime d'hallucinations !

Elle se releva sur ses jambes tremblantes.

– J'ai vu ce monstre, martela-t-elle. C'était celui du tableau de Stefan. Les patients de cet asile sont les nouveaux jouets d'Aleister Laughton. Ils sont liés au plan diabolique qu'il veut accomplir avec l'aide des *Manuscrits d'Elfaïss*. Il va tous les transformer en créatures de cauchemar !

Elsa détourna la tête. Un poids pesait sur sa poitrine, les cris de l'aliéné résonnaient encore à ses oreilles. La créature qu'elle avait vue ce soir, était-ce ce qui restait de Martha ? Ou était-ce le lord en personne ? Et pourquoi avoir tué Stefan ? Elle avait beau réfléchir, cette mort ne trouvait pas d'explication dans ses cauchemars.

– Ne m'abandonnez pas, souffla-t-elle en tendant une main à Valentin. Je n'ai jamais eu autant besoin de vous !

Livide, le garçon ne répondit pas et la mena dans le couloir.

Fliess les attendait dans le hall. Il prit le manteau d'Elsa et le posa sur les épaules de la jeune fille.

– Le temps s'est un peu calmé, fit-il. Vous ne devriez pas avoir trop de mal à rentrer.

Il s'approcha de Valentin pour lui murmurer à l'oreille :

– Klaus est déjà parti chercher Arheim. Occupez-vous bien d'elle. Je vous enverrai un mot dès que ce sera fini.

Le précepteur hocha la tête. Soudain, il s'aperçut que son élève avait lâché sa main. Elle s'était approchée du canapé où gisait le corps de Stefan. Hagarde, elle fixait le poignet du défunt qui retombait à découvert. Sur son bras bleui par le froid était tatoué un œil oudjat.

— Vos patients portent-ils tous ce stigmate ? demanda-t-elle à Fliess.

— Je ne sais pas. Mathias ?

L'infirmier acquiesça.

— Stosswaffen a dû les marquer comme des bêtes, balbutia Valentin en sentant le regard de son élève se poser sur lui.

Mais Elsa devina que quelque chose venait de céder dans l'esprit du jeune homme. Il se mit à trembler, les muscles de son visage se tendirent, et un voile de terreur passa dans ses yeux.

Elsa chancela sous le choc de la révélation. « Stefan... Plus qu'à Aleister, il ressemblait à Valentin ! »

Elle fixa le haut du crâne du cadavre, où les cheveux avaient commencé à repousser. Ils étaient d'un blanc laiteux, comme ceux de Valentin.

16

Préoccupé par le sort de Martha et l'arrestation prochaine de Stosswaffen, le docteur Fliess ne s'attarda pas sur l'image gravée dans la chair de son patient. Il marmonna dans sa barbe des mots inintelligibles et poussa Elsa et Valentin dehors.

– Dépêchez-vous ! fit-il en guise d'au revoir. Si la police vous trouve ici, vous risquez d'avoir des ennuis.

Perdus dans leurs pensées, les jeunes gens opinèrent du chef et rejoignirent la rue. Ils s'enfoncèrent dans les ténèbres, en direction de leur appartement.

Le vent avait faibli, mais la neige tombait toujours à gros flocons. Même à l'abri des arcades de la Reichratstrasse, Valentin sentait le froid lécher son visage en sueur. Il aurait dû être soulagé :

cette histoire affreuse semblait enfin sur le point de se conclure. Pourtant, l'image de l'œil oudjat dansait dans son esprit. Il serra un peu plus son bras autour des épaules d'Elsa, qui marchait blottie contre lui. « C'est impossible, gémit-il intérieurement. Cette marque n'est qu'une coïncidence. » Mais, s'il était prêt à se satisfaire de ce mensonge, il savait que ce n'était pas le cas de son élève. Il ne fut donc pas surpris quand elle s'immobilisa.

– Je ne peux pas rentrer à la maison, déclara-t-elle. Pas après ce que j'ai vu ce soir. Nous sommes les seuls à savoir qu'Aleister Laughton se cache derrière cette histoire.

– Je ne veux plus vous entendre prononcer ce nom ! s'emporta Valentin. Stosswaffen est l'unique responsable des événements auxquels nous avons été mêlés.

Elsa agrippa le garçon par les revers de son manteau.

– Cessez de vous voiler la face ! cria-t-elle. Il n'est plus seulement question de mes « délires nocturnes », comme vous les appelez. Vous avez vu ce tatouage comme moi. Et ce n'est pas tout...

Elle reprit son souffle avant de continuer :

– Je sais maintenant pourquoi Stefan me semblait si familier : ses yeux sont ceux de Laughton, donc les vôtres. Comment ne l'ai-je pas compris plus tôt ? Il vous ressemble comme un frère ! Ses joues, son menton, et surtout ses cheveux blancs.

Valentin se rappela la fascination de Stefan pour sa chevelure avant la séance d'hypnose. Il serra les poings pour faire taire les voix qui montaient en lui.

– Le corps était recouvert de neige, réussit-il à dire. Vous vous êtes trompée.

– Non, Monsieur Bailly. J'ai la certitude que ce garçon était lui aussi le fils d'Aleister Laughton. Je ne parviens pas à comprendre pourquoi le lord l'a tué ; nous devons le découvrir le plus rapidement possible. Peut-être êtes-vous en danger...

– Laissons Arheim et la police faire leur travail. Vous verrez que tous vos mauvais rêves s'évanouiront.

– Arheim ? Cet officier n'a rien fait pour arrêter les enlèvements. Comme Stosswaffen, il est sûrement au service de votre père.

– Ça suffit, Mademoiselle ! Vous perdez la raison !

Elsa le lâcha et recula de plusieurs pas :

– Vous niez l'évidence, car vous avez peur de vous retrouver face à lui. Vous êtes un lâche ! J'irai à sa rencontre avec ou sans vous !

Elle se retourna et s'enfuit en courant.

Blessé par ces paroles, Valentin ferma les yeux et se massa les tempes. Il se remémora leurs récentes découvertes pour trouver une explication rationnelle, pour chasser le souvenir insupportable d'Aleister Laughton. Il avait voulu oublier, profiter du bonheur de sa nouvelle existence. Pourtant, ce père monstrueux le traquait par-delà la mort. Seul, le garçon aurait enterré ses doutes dans un recoin de sa conscience ; mais Elsa n'était pas prête à abandonner.

– Elle a besoin de réponses à ses questions, murmura-t-il. Sinon, elle va sombrer dans la folie. Et, sans elle, ma vie n'aurait plus de sens...

Résigné, il traversa la rue et s'engouffra sous le porche de leur immeuble. Il la croisa dans les escaliers.

– Tenez, fit-elle en lui tendant les clés. La maison est vide. Père n'est pas arrivé, et Gudrun est rentrée chez elle. Elle a laissé un rôti au four.

– Je vous accompagne.

Elsa éclata d'un rire nerveux :

– Qu'est-ce qui vous a décidé à changer d'avis ?

Valentin leva les yeux sur elle. Il observa longuement chaque détail de son visage, avant de répondre :

– Vous.

Troublée, la jeune fille abandonna son air moqueur.

– Il n'y a que nous qui puissions l'arrêter, murmura-t-elle.

Le précepteur soupira et la fixa d'un regard profond.

– Par contre, dit-il, vous devez me promettre une chose. Nous espionnerons Stosswaffen et nous agirons uniquement si, comme vous le croyez, Laughton est au rendez-vous. Dans le cas contraire, nous rentrerons et attendrons que la police intervienne.

– Il sera là, souffla Elsa en serrant les pans de son manteau. J'en suis certaine.

La silhouette du Staatoper se dressait dans la nuit. La représentation venait de se terminer. Les derniers spectateurs sortaient sur le perron et découvraient avec étonnement le tableau de la ville meurtrie par la tempête. La neige s'entassait partout, elle avait bloqué toutes les artères. Sur la chaussée, des voitures étaient couchées sur le flanc.

Plusieurs hommes s'employaient à déblayer les marches de l'Opéra. L'un d'entre eux posa sa pelle et héla les deux jeunes gens qui montaient :

– Où allez-vous ?

– Mademoiselle a oublié son sac sous son siège, répondit Valentin d'un air dégagé.

– Ah, les femmes ! ricana le gaillard en lorgnant Elsa. Elles finiront toutes un jour par perdre leur tête. Dépêchez-vous, nous allons bientôt fermer !

Elsa et Valentin passèrent la porte et s'engagèrent dans l'escalier d'honneur. Les yeux rivés au sol pour fuir les questions du personnel, ils se pressèrent jusqu'à la loge de Frau Zamenkof.

– Il faut attendre la fermeture, murmura le garçon. Nous allons rester cachés ici.

Ils virent une vieille femme pénétrer dans chacune des loges pour passer un coup de chiffon sur les sièges. Ils retinrent leur souffle en guettant des pas dans le couloir. Mais, étrangement, leur tour ne vint pas. Les lumières s'éteignirent une à une, et l'Opéra plongea dans une obscurité silencieuse.

– Là ! fit Elsa en pointant un index tremblant vers le lustre central. Une trappe !

Un filet de lumière presque invisible dessinait un carré sur le plafond.

Valentin n'eut pas le temps de répondre, car un chant lointain résonna dans la salle.

C'était la voix de Martha, la cantatrice folle...

Le jeune homme fit signe à Elsa de se lever.

– Surtout, pas de bruit ! ordonna-t-il avant d'ouvrir la porte.

Ils quittèrent la loge pour s'enfoncer dans les couloirs sinueux qui se perdaient derrière la scène. Les remises, les salles de répétitions défilèrent devant leurs yeux.

Plus Valentin avançait, plus il sentait son courage s'émietter. Ils fonçaient droit dans la gueule du loup ! L'ancien directeur de l'asile était un dangereux meurtrier ! Pourquoi donc le précepteur s'était-il laissé convaincre par son élève ? Aleister Laughton ne pouvait pas être encore en vie. C'était impossible !

Il continua pourtant à suivre Elsa, qui avançait au hasard. Leurs chances de trouver la cachette de Stosswaffen au milieu de ce labyrinthe étaient de toute façon bien maigres. Le garçon était prêt à faire demi-tour lorsque la mélopée monta d'un ton.

— La voix, chuchota Elsa. Laissons-nous guider par la voix...

Elle tendit l'oreille.

— Par là, fit-elle en montrant un escalier de bois.

Les jeunes gens montèrent dans les combles. Les pièces qu'ils traversèrent étaient remplies d'un fatras de costumes, d'accessoires et de décors décrépits. Ils se frayèrent un passage au milieu de cet amoncellement d'objets hétéroclites et poussiéreux. Curieusement, le chemin qu'ils suivaient semblait praticable.

Ils comprirent qu'ils touchaient au but en arrivant devant une porte. Ils collèrent leur oreille contre le panneau de bois.

Le chant de Martha s'éteignit, laissant place à un timbre caverneux :

— Ta voix est un cadeau des dieux, mon enfant... Nous sommes à l'aube d'une ère fabuleuse... Grâce à toi et à mon talent, je vais changer tous les fous de la terre en une race d'hommes nouveaux. Intelligents et surpuissants, ils guideront le monde vers une nouvelle société !

Elsa se redressa, les membres tétanisés. C'était plus qu'elle ne pouvait supporter. Elle avait reconnu l'ancien directeur de l'asile, mais un sombre pressentiment consuma sa raison. « Le Pharaon use de ses pouvoirs pour manipuler Stosswaffen telle une marionnette. Il est là, dans l'ombre, comme dans mes rêves. »

D'un geste vif, elle tira un fleuret de la doublure de son manteau.

– Mademoiselle, hurla Valentin. NON !

Elsa avait déjà ouvert la porte du laboratoire. Au milieu des vieux décors elle aperçut une table envahie par un capharnaüm de cornues et de vasques, où bouillonnaient des fluides visqueux. Martha était enserrée dans une prison de métal qui ressemblait à un sarcophage. Un appareillage lui déformait la bouche, un tube sortait de sa gorge. Il serpentait sur le sol jusqu'aux armatures d'un casque qu'Elsa reconnut immédiatement, posé sur une table d'examen.

Elsa chercha la silhouette du Pharaon ; mais Stosswaffen était seul. Il fit volte-face. Ses cheveux étaient ébouriffés, et ses yeux brillaient d'un éclat malsain.

— Qui ose pénétrer en mon domaine ? tonna-t-il d'une voix menaçante.

Le précepteur jaillit de l'ombre pour se planter devant son élève :

— Votre ton n'impressionne que vous, Herr von Stosswaffen. Tout est fini. La police connaît vos méfaits, et elle a investi l'Opéra. Si vous vous rendez, il ne vous sera fait aucun mal.

— Me rendre ? vociféra le médecin. Vous plaisantez ! Je serai bientôt un bienfaiteur de l'humanité. On acclamera mes miracles. Avec mon invention, je guérirai tous les aliénés de cette terre. La musique, Monsieur... Tout le secret est dans la musique !

— Vous êtes surtout un meurtrier ! affirma Valentin tout en réfléchissant à un moyen de sortir de cette situation périlleuse.

Le docteur fou se mit à marcher en rond, évitant les nombreuses cordes qui partaient des murs pour se perdre dans les hauteurs.

— Vous voulez parler de cette vermine de Klaun ? riposta-t-il. Ainsi, la baronne n'a pas su tenir sa langue de serpent ! Dire que c'est elle qui m'a encouragé à mes débuts ! Elle m'a confié son fils et les autres patients pour que je les soigne. Mais j'ai vite compris qu'elle voulait surtout se débarrasser d'eux, les faire disparaître pour que personne ne s'interroge sur les causes de leur état mental... Elle n'a donc pas apprécié le petit incident provoqué par la fuite de Stefan. Il s'échappe de mon antre, et tente de tuer sa mère. Touchant, n'est-ce pas? Cette harpie ne perd rien pour attendre: je vais m'occuper d'elle. Mais pour le moment...

Tout à coup, Stosswaffen tira sur un câble. Une poulie se dévida bruyamment au plafond. Levant les yeux, Valentin vit le lustre fondre sur lui. Il eut tout juste le temps de pousser Elsa avant le choc.

La jeune fille s'effondra dans un coin, sans comprendre. Lorsqu'elle releva la tête, elle s'étrangla en voyant son précepteur sur le sol. Il gisait, inconscient, au milieu des débris de verre. Le sang coulait de ses tempes.

Stosswaffen s'avança vers elle comme un ogre prêt à la dévorer.

— Ma pauvre fille! ricana-t-il. Vous et votre ami ne ressemblez pas vraiment à des policiers. Si vous êtes venue jusqu'ici, c'est que vous êtes folle. Et j'avais justement besoin d'un cobaye!

Elsa recula en brandissant son épée.

– Doucement, petite... Tu vas te blesser avec ça ! Je ne te veux pas de mal : je vais juste te soigner !

Affolée, elle lacéra l'air devant elle. L'arme heurta le sol dans un bruit sec, et la lame se brisa à la garde.

– Allez-vous-en ! hoqueta-t-elle. Laissez-moi tranquille, je sais qui vous êtes... Un complice de Laughton, du Pharaon.

– Tu délires, mon enfant. Mais ne t'inquiète pas, bientôt tu te sentiras mieux, tu seras une autre personne...

Sidérée, Elsa fut incapable d'opposer une résistance. Stosswaffen l'attrapa à bras-le-corps et l'allongea sur la table d'opération. Il serra les sangles autour de ses membres et fixa le casque sur sa tête.

– La voix de ma cantatrice va te transformer ! hurla-t-il en faisant signe à Martha.

Les harmoniques éclatèrent dans les oreilles de la jeune fille. Le chant fit vibrer tout son corps. À mesure que les notes s'amplifiaient, Elsa avait l'impression que ses muscles grossissaient, s'allongeaient.

« Cela devait se finir ainsi ! Je suis au cœur du cauchemar. Je le savais... »

Pourtant, la souffrance cessa brutalement.

Elsa garda les yeux fermés pour ne pas affronter l'horreur de la réalité. Elle était convaincue de s'être transformée en une créature semblable à celle du tableau de Stefan.

La voix de Valentin la fit reprendre ses esprits.

— Je ne saurais tolérer qu'on touche à un cheveu de cette femme ! cria le précepteur. Vous allez payer !

Le garçon leva lentement la hallebarde de théâtre, avec laquelle il avait tranché le tuyau qui reliait la bouche de Martha au casque vissé sur la tête d'Elsa. Impressionné par le visage en sang de ce revenant, Stosswaffen recula.

— Non... Vous ne pouvez pas !

Avec un hurlement de rage, Valentin fit pivoter son arme et frappa avec le manche. Le docteur hurla de douleur et tomba sur le sol, les mains plaquées sur son genou.

Un raz-de-marée de haine submergea le précepteur. Il se posta au-dessus de Stosswaffen et brandit son arme, tel un bourreau prêt à l'exécution.

Le vieil homme se recroquevilla sur le sol en position fœtale.

– Ne me tuez pas..., implorait-il. Je ferai tout ce que vous voulez !

La hallebarde cogna le plancher.

Stosswaffen se mit à pleurer comme un enfant en sentant la lame plantée juste à côté de son visage.

– Si vous bougez d'un millimètre, cette fois je n'hésiterai pas !

Sans un mot de plus, Valentin dégagea son arme et se précipita aux côtés d'Elsa. Il arracha les liens et la prit dans les bras.

– Tout est fini...

Mais un bruit sourd vint le contredire. Il se retourna : Stosswaffen avait disparu.

Un deuxième craquement déchira le silence.

– Ce n'est pas vrai ! cria le jeune homme en se ruant vers la trappe, qui était grande ouverte.

Le savant fou était assis dans le lustre qui surplombait l'Opéra. La chaîne pendue au plafond était en train de céder sous son poids.

– Aidez-moi ! supplia-t-il.

Valentin s'allongea sur le sol et tendit le bras.

– Allez ! Attrapez ma main !

– Je ne peux pas... C'est trop haut.

– Pressez-vous !

Mais le docteur n'eut pas le temps d'essayer.

Le lustre se décrocha et tomba dans le vide. Il s'écrasa sur les fauteuils.

Le précepteur resta longtemps hypnotisé par la vue de ce corps semblable à un pantin désarticulé. Soudain, il entendit les sanglots étouffés d'Elsa.

Elle était immobile au centre de la pièce, un doigt pointé sur un tableau accroché au mur.

La toile était à n'en pas douter une œuvre de Stefan. Une créature repoussante les fixait de ses yeux injectés de sang. À côté se tenait le Pharaon dissimulé derrière son masque d'or.

– Où êtes-vous, Aleister Laughton ! haleta la jeune fille avant de s'évanouir, terrassée par la peur.

17

Assis derrière le bureau de Sigismond, Ulrich Arheim relisait la déposition.

— Résumons, dit le policier en rajustant son monocle. Suite à la disparition d'un deuxième fou de l'asile, vous avez demandé audience au doktor Fliess. L'agression de Monsieur de Costières vous avait choqués, et vous souhaitiez des explications... C'est bien cela ?

Valentin soupira. Tous ses membres lui faisaient atrocement mal, et sa tête lui élançait. Depuis des heures, il répondait aux mêmes questions, répétait les mêmes mots. Il n'en pouvait plus.

— C'est exact.

— Il vous a alors affirmé n'être en rien responsable des événements. Selon lui, des ennemis de l'empire utilisaient ses malades pour commettre des attentats. Soit. Mais pourquoi a-t-il eu cette idée saugrenue d'hypnotiser son patient devant vous ?

— Il voulait nous prouver sa bonne foi. Et, à quelques heures du bal du Kaiser, il fallait absolument comprendre ce qui se passait : l'impératrice était en danger !

— N'avez-vous pas confiance dans la police, *Junge* ? Vous avez pourtant constaté par vous-même que mes hommes se tenaient prêts à agir !

Valentin passa une main sur ses yeux doulou-reux. Il jouait un jeu dangereux en omettant nombre de détails ; mais il se méfiait trop d'Arheim. Si le précepteur racontait toute leur enquête, notam-ment chez les anarchistes, la police aurait tôt fait de découvrir son passé.

— Pourquoi êtes-vous retourné à l'asile ce soir ? l'interrogea l'officier.

Valentin se garda bien d'évoquer la relation de Stosswaffen avec Frau Zamenkof. Comme Fliess, il était persuadé qu'Arheim connaissait depuis longtemps les agissements du savant fou. Le policier avait tenté de ménager la réputation de la baronne. Il voulait sûrement s'assurer que les jeunes gens n'avaient rien découvert de ses manigances.

– Afin d'informer le docteur Fliess qu'aucun incident n'était survenu pendant le bal, mentit le garçon. Nous avons été surpris par la tempête et avons discuté avec lui en attendant de pouvoir repartir. Il nous a expliqué qu'il avait trouvé un passage secret. Il soupçonnait l'ancien directeur d'enlever les malades pour poursuivre ses recherches sur le traitement de la folie...

– La musique comme moyen thérapeutique, c'est cela ? ricana Arheim.

– Stosswaffen était un illuminé ! siffla Valentin. Il utilisait la voix de Martha, qu'il amplifiait grâce à un système complexe. Vous avez pu voir ses machines dans le laboratoire. Il avait récupéré Stefan pour servir de cobaye, mais ce dernier lui avait échappé. Ce soir, il est venu le rechercher à l'asile, mais il n'avait pas prévu la présence des chiens...

Blottie dans le sofa, Elsa se colla un peu plus contre Sigismond. Dès leur retour à l'appartement, elle s'était réfugiée dans les bras de son père.

Depuis, elle observait avec angoisse le manège d'Ulrich Arheim. «Pourvu qu'il s'en tienne aux dires de Valentin! frémit-elle. Je serai incapable de résister longtemps sans parler des créatures ou d'Aleister Laughton.»

L'officier lissa d'une main son crâne nu.

– Pourquoi vous êtes-vous rendus à l'Opéra alors que Joseph Fliess avait envoyé un message pour me prévenir?

– La tempête avait mis la ville sens dessus dessous: nous avions peur que vous arriviez trop tard. La vie de Martha était en jeu!

– Que croyez-vous que je faisais pendant que vous jouiez les détectives en herbe? Je connaissais cet individu et ses agissements. Mes hommes étaient sur sa piste!

– Ah oui? fit le précepteur. Je crois surtout que vous vous êtes entêté trop longtemps à accabler le docteur Fliess au lieu de mener une vraie enquête!

Le visage d'Arheim se tordit en un sourire narquois. Valentin regretta aussitôt son emportement. «Il veut me déstabiliser, pensa-t-il. Il a senti que je cachais quelque chose...» Mais comment avouer que c'étaient les hallucinations d'Elsa qui les avaient poussés à agir? À coup sûr, la jeune fille passerait pour folle.

– Pouvez-vous rapporter de nouveau ce qui s'est passé dans les combles du Staatoper?

– Ça suffit maintenant! tonna Sigismond en se levant. Ne voyez-vous pas que ce jeune homme est blessé? Il vous a déjà raconté tout cela des dizaines de fois. C'est un héros! Sans ces enfants, vous n'auriez pas résolu l'affaire à temps!

– Sans eux, rétorqua Arheim, Stosswaffen serait peut-être encore en vie... Et ce serait lui que j'interrogerais en ce moment pour connaître le fin mot de cette histoire!

Elsa éclata en sanglots:

– C'était un accident! Nous avons essayé de le sauver!

La détresse de sa fille fit sortir le diplomate de ses gonds:

– Il me semble, Monsieur, que vous avez toutes vos réponses. Aussi, je vous saurais gré de bien vouloir nous laisser.

Le policier hésita un instant, puis se résigna à ranger la déposition dans sa sacoche.

– Je vous tiendrai au courant des suites de l'affaire, dit-il en passant son manteau. Je dois maintenant interroger le doktor Fliess.

Médusée, Elsa serra les accoudoirs de son siège. Arheim avait glissé une main dans sa manche pour tirer sur sa chemise. Elle chavira en apercevant le tatouage. « L'œil oudjat ! Lui aussi ! »

M. de Costières escorta le policier jusqu'à la sortie. Il le regarda descendre les marches de l'immeuble puis monta chercher Herr Brücke, son providentiel voisin.

Le docteur, qui avait soigné Sigismond après son accident à l'Opéra, finit de se réveiller en découvrant l'état de Valentin.

– Mon pauvre garçon ! Vous voilà bien abîmé !

Il ouvrit son sac et sortit ses accessoires pour l'examiner.

– Rien de bien grave, conclut-il. Nous allons soigner toutes ces vilaines blessures. Juste quelques points de suture...

Laissant le médecin à sa tâche, le diplomate aida sa fille à se lever et la soutint jusqu'au salon. Sans un mot, il l'assit sur le canapé. Il attisa longuement le feu de la cheminée avant de la rejoindre.

– Valentin m'a sauvé, sanglota-t-elle. Il n'a rien fait de mal.

Le vieil homme, bouleversé par le désarroi de sa fille, se força à sourire.

– Chut, murmura-t-il en lui caressant la tête. Repose-toi maintenant.

Ils restèrent longtemps l'un contre l'autre à contempler les flammes. Sigismond émergea de cette douce torpeur en entendant le docteur quitter l'appartement.

– Tu veux monter te coucher ? demanda-t-il à Elsa, qui somnolait sur son épaule.

– Non. Je préfère rester ici...

Il lui installa un coussin derrière la tête et se leva.

– Mais enfin, Valentin ! s'exclama-t-il après avoir fermé la porte du bureau. Qu'est-ce qui vous a pris ? J'arrive à minuit chez moi, et je trouve la police pour m'accueillir. Ma fille est en larmes, vous en sang !

Le précepteur était toujours assis à la même place. Un large pansement barrait son front.

– Tout est de ma faute, Monsieur.

– Ah, pas de ça avec moi ! Je connais ma fille et ses idées fixes. Je me doute qu'elle vous a poussé à enquêter ! Mais pourquoi n'avez-vous pas tenté de la raisonner ? Le drame que nous avons vécu à Londres ne vous a-t-il pas suffi ?

Le garçon tourna vers lui un visage décomposé.

– Je... je n'ai pas réussi.

– Je vous avais pourtant mis en garde, Monsieur Bailly. Je vous paie pour protéger ma fille, pas pour la laisser se mettre en péril !

Valentin baissa la tête.

– Allez-vous me congédier ? fit-il en tremblant.

– Nous en discuterons à mon retour. Je pars demain en voyage d'affaires pour plusieurs jours. L'empereur a convié tous les diplomates étrangers de la ville dans son pavillon de chasse, à Mayerling. D'ici là, je vous interdis de quitter les murs de cet immeuble !

– Bien, Monsieur de Costières. De toute façon, nous avons besoin de repos...

Dans l'obscurité du salon, Elsa luttait contre le sommeil. Ses paupières papillonnaient, se faisaient de plus en plus lourdes.

– Ne pas dormir. Je ne dois pas dormir, se répétait-elle.

L'ancien directeur de l'asile était mort, mais un danger occulte menaçait toujours de s'abattre sur la ville. Stosswaffen, Stefan, les tableaux, les créatures... La jeune fille ressassait ces éléments disparates, sans trouver le lien qui les unissait, le chemin qui mènerait jusqu'à Aleister Laughton. Car la toile trouvée dans le laboratoire avait apporté une confirmation irréfutable à ses pressentiments.

Le Pharaon se cachait bien derrière les récents événements.

Mais que préparait-il grâce aux pouvoirs acquis dans les *Manuscrits d'Elfaïss* ? Que dissimulaient toutes ces personnes qui portaient sa marque tatouée sur le poignet ? Avait-il créé une secte qui devait l'aider à mettre en œuvre son plan ?

– Le pire est encore à venir, gémit Elsa à la pensée des cauchemars qui se tapissaient dans l'ombre, prêts à l'assaillir dès qu'elle céderait à la fatigue.

Elle s'approcha de l'âtre. La chaleur courait le long de son corps, se transformait peu à peu en brûlure. La sueur perla sous ses vêtements ; mais elle resta là, immobile. La douleur physique l'empêchait de sombrer dans les rêves.

— Un de ses jouets s'est brisé, mais Aleister Laughton ne va pas s'arrêter là...

Elsa ferma les yeux pour fuir le masque du Pharaon qui se dessinait dans les flammes.

18

Toute la nuit, Elsa avait entretenu le feu pour se tenir éveillée. Elle avait analysé chaque détail de ses cauchemars, les avait comparés à la réalité. Peu à peu, elle avait compris que plusieurs histoires distinctes s'étaient entremêlées. Il y avait eu tout d'abord Werner Klaun, le peintre anarchiste qui volait les toiles de Stefan. Puis Stosswaffen, l'aliéniste illuminé qui croyait soigner les maladies mentales grâce à la musique. Tous deux étaient maintenant morts, victimes d'une entreprise qui les dépassait. Trop de détails trahissaient la présence d'Aleister Laughton pour que son retour ne soit qu'une chimère née des peurs d'Elsa.

La jeune fille s'attacha à dépouiller les événements et ses songes pour déceler les agissements du lord. Il semblait rester dans l'ombre, menant une partie d'échecs à l'issue inconnue. Ses pièces étaient des créatures abjectes, et ses pions des humains marqués de son sceau. L'opéra des fous, le compagnon de Stosswaffen qui s'était volatilisé, Arheim, et bien sûr Stefan, son propre fils...

– La baronne ! haleta Elsa aux premières lueurs de l'aube.

Elle leva son corps meurtri et fila jusqu'à la chambre de son précepteur.

– Valentin ! hurla-t-elle en cognant à la porte. J'ai trouvé !

Le garçon lui ouvrit, la mine effarée. Des cernes sombres soulignaient ses yeux ; il avait les mêmes habits que la veille. Il ne s'était pas couché lui non plus. À la lueur d'une chandelle, il avait essayé de s'évader par le travail. Mais les mots lui avaient résisté, et il avait froissé d'une main rageuse feuillet après feuillet.

– Moins fort..., murmura-t-il. Vous allez alerter votre père.

Il fit signe à Elsa d'entrer et ferma derrière elle. Éreinté, il se laissa retomber dans son fauteuil.

– Que se passe-t-il encore ?

– J'ai compris ! Les travaux de l'ancien directeur de l'asile n'avaient rien à voir avec Aleister
Laughton. C'est moi qui ai tout mélangé à cause
de mes rêves...

Valentin aurait dû soupirer de soulagement.
Pourtant, il devinait qu'elle n'était pas revenue
à la raison. Ce revirement cachait de nouveaux
délires.

Il attendit donc la suite en silence.

– Par contre, notre enquête nous a permis de
retrouver la trace du lord... et de son amie, Frau
Zamenkof !

Le garçon sursauta :

– Pardon ?

– N'avez-vous pas entendu le docteur fou ?
Stefan était le fils de la baronne ! Elle ment depuis
le début...

Intrigué par les propos de son élève, le précepteur frotta du pouce sa barbe naissante.

– Elle nous a peut-être caché des choses, admit-
il. Stefan devait être un enfant non désiré, qu'elle
a abandonné à l'asile. Le hasard a voulu qu'elle soit
à l'Opéra le soir où il s'est enfui du laboratoire de
Stosswaffen.

– C'est son propre enfant qui a essayé de l'assassiner ! Il y a forcément une raison !

– Je ne sais ce qui s'est passé dans la tête de Stefan. Il était en crise. Le docteur Fliess pourrait sûrement expliquer son comportement...

Elsa planta ses deux mains sur le bureau :

– Arrêtez votre comédie, Monsieur Bailly ! Il y a autre chose... Vous l'avez compris comme moi. Le Pharaon sur son tableau, ses cheveux, son regard : Stefan était le fils de Laughton !

Valentin se raidit, mais ne dit mot.

– Frau Zamenkof est la complice et la concubine du lord, continua la jeune femme. Je suis certaine qu'elle aussi a un tatouage d'œil oudjat au poignet, comme tout ceux qui travaillent pour le Pharaon. D'ailleurs, n'avez-vous pas remarqué que ses robes avaient toujours des manches longues ?

– Quel est donc ce raffut ? tonna Sigismond en entrant dans la chambre. Je vous entends depuis la cuisine !

– Excusez-nous, Monsieur, balbutia le précepteur. Votre fille s'inquiète des rumeurs qui courent au sujet de Frau Zamenkof...

Elsa se retourna, gênée.

— Elle collectionnerait les hommes, lança-t-elle sans réfléchir.

Le diplomate sourit :

— Ah bon ? Qui vous a raconté cela ?

— Catherine Schratt, une artiste qui fréquente son salon.

— Cette frivole ne manque pas de culot ! s'esclaffa le vieil homme. Elle ferait mieux de s'occuper de ses affaires. Tout Vienne sait qu'elle est l'*amie* de l'empereur !

Elsa se souvint comment la comédienne avait changé de rôle quand Frau Zamenkof s'était absentée. « Tous ces gens portent des masques ! Ils ne sont jamais ceux qu'on croit ! »

— Vous continuerez cette discussion plus tard, fit Sigismond en sortant de la pièce. C'est le jour de congé de Gudrun, et je vous ai préparé un petit déjeuner. Venez, je dois vous parler avant de partir.

Elsa et Valentin rejoignirent la cuisine et s'attablèrent en silence. Ils se forcèrent à manger en écoutant les dernières recommandations de M. de Costières.

— J'espère que je peux cette fois compter sur vous, Monsieur Bailly, conclut-il en enfilant son manteau. Je ne veux pas que vous sortiez d'ici du week-end !

– Quoi ? bondit Elsa. Voilà que nous sommes prisonniers !

Le diplomate garda un air glacial. Il embrassa sa fille sur le front, saisit sa valise et s'éclipsa.

– Nous devons enquêter sur la baronne ! s'insurgea Elsa.

Valentin explosa :

– Non, Mademoiselle. Nous ne bougerons pas d'ici !

– Nous ne pouvons pas rester sans rien faire ! Frau Zamenkof nous mènera directement à Laughton. Elle fait partie de sa secte et l'aide dans l'accomplissement de son plan démoniaque. Je ne sais comment il s'y prend, mais le Pharaon est en train de rassembler une armée de créatures cauchemardesques. Il veut envahir le monde et en devenir le maître absolu !

– D'où sortez-vous cette histoire de complot ? souffla le précepteur, abasourdi. C'est du délire !

– Non. Croyez-moi : les patients de l'asile sont sûrement d'anciens disciples. S'ils avaient encore leur raison, ils pourraient tout nous raconter. Et c'est pour cela que Stefan est mort. Après l'accident au Staatoper, trop de monde s'intéressait à ce garçon. Ses peintures menaçaient de révéler le secret de ses parents. Ils n'ont pas hésité à tuer leur propre enfant !

Valentin était désemparé. Toute la nuit, il s'était acharné à écrire pour faire refluer ses doutes. Mais Elsa venait d'attiser le feu qui consumait sa conscience. Trop de questions restaient sans réponse. Pourquoi la baronne s'était-elle débarrassée de son fils ? Qui étaient les autres fous qu'elle avait confiés à Stosswaffen ? Par quelle funeste coïncidence ces aliénés portaient-ils un tatouage d'œil oudjat ?

Elsa se leva et se rapprocha de lui.

– Nous n'avons pas le choix, affirma-t-elle. Aucun de nous deux ne connaîtra de répit tant que nous n'aurons pas arrêté Aleister Laughton ! Vous le savez.

Le précepteur, tétanisé, ne parvenait pas à décider si son élève était définitivement folle ou si elle avait raison.

– Écoutez-moi bien, finit-il par murmurer. Je refuse de penser à ce monstre et à son histoire.

Peut-être est-il encore en vie, peut-être poursuit-il ses méfaits. Traitez-moi de lâche si vous le souhaitez, mais je n'ai pas envie de finir comme Stefan ! C'est terminé. J'aspire à une nouvelle vie, loin de ces tourments. Et j'aimerais tant que cela soit aussi votre cas !

Il posa sa paume sur le visage de la jeune femme.

— Je ne veux pas vous perdre, souffla-t-il.

Troublée, Elsa se pencha et effleura de ses lèvres la joue du garçon.

— Alors, aidez-moi à trouver la vérité, demanda-t-elle.

Valentin recula vivement sa chaise :

— Non, et nous n'en discuterons plus ! Maintenant, allez vous reposer. Je dois écrire un mot au docteur Fliess pour lui raconter les circonstances de la mort de Stosswaffen.

Elsa passa toute la matinée à marcher en rond dans le salon, comme une bête en cage. Son esprit bouillonnait. Les cris se mêlaient à ses pleurs ; elle se rua sur une étagère de la bibliothèque et balança d'un geste rageur les piles de livres sur le sol.

Valentin ne sortit pas de sa retraite, même à l'heure du déjeuner.

Sentant que la folie la ravageait, Elsa tenta une dernière fois de se raisonner. Elle s'affala dans le canapé et s'efforça de respirer lentement.

«Je suis en train de me détruire, songea-t-elle. Valentin a raison. Je dois oublier, recommencer à vivre normalement. Il est là pour m'aider.»

La jeune fille se répéta plusieurs fois les mêmes mots, comme une formule magique. Peu à peu, elle sentit la peur refluer, ses muscles se détendre.

Elle comprit trop tard son erreur. Le cauchemar la foudroya.

Repliée dans un coin de la chambre, la créature faisait crisser ses membres cartilagineux. Elle léchait chacune de ses griffes de sa langue bifide, manifestant son contentement par des bruits de succion hideux.

Elsa hurla en découvrant le cadavre de Valentin qui gisait sur le lit, la poitrine arrachée. Ses cris se perdirent dans le tonnerre d'un rire inhumain.

Le Pharaon était là, flattant le monstre d'une main.

– *Mes enfants sont maintenant tous morts !* martela-t-il. *La prophétie des Manuscrits prétend que seul un de mes fils pourrait m'empêcher d'accomplir le rituel ultime. Plus rien ne m'arrêtera. Bientôt, la grande fusion aura lieu... Je serai le maître, et vous commanderez à nos armées !*

La créature avait disparu, remplacée par Frau Zamenkof.

La baronne sourit de ses lèvres maculées de sang.

19

À l'extérieur régnait un clair-obscur irréel. Un brouillard dense avait envahi les rues. Il se collait aux fenêtres, isolant l'immeuble du reste du monde.

Valentin frotta sa nuque endolorie par les courbatures. Il s'était écroulé à sa table de travail et avait dormi toute la journée, l'esprit englouti par des ténèbres sans rêves.

Il se leva péniblement et jeta sur le lit sa chemise trempée par la sueur. Après s'être passé de l'eau sur le visage, il sonda son reflet dans le miroir. Il avait une mine effroyable : le pansement rougi barrait son front, ses paupières lourdes palpitaient sous l'effet de la fièvre.

Le silence étrange dans lequel baignait l'appartement éveilla chez le jeune homme un obscur pressentiment. Il eut la conviction d'être seul quand des souvenirs voilés émergèrent de sa conscience. Il se rappela avoir entendu du fond de sa léthargie la porte de sa chambre s'ouvrir. Une main avait caressé ses cheveux, une respiration retenue avait soufflé sur son visage, des lèvres fragiles avaient effleuré les siennes...

– Elsa ! Non !

Valentin jaillit dans le couloir et parcourut toutes les pièces en haletant. Un nœud d'angoisse se resserra sur son estomac à mesure qu'il les découvrait vides. Peu à peu, l'horrible réalité s'imposa : Elsa avait disparu ! Profitant du sommeil de son précepteur, elle s'était enfuie.

– Je suis pitoyable..., balbutia le garçon en s'effondrant dans le canapé du salon. Elle était paniquée, j'aurais dû rester à ses côtés pour la rassurer et m'occuper d'elle. Au lieu de cela, je me suis assoupi... Je l'ai abandonnée !

L'horloge sonna huit heures. Valentin se secoua. Il devait passer à l'action. Dans son état, Elsa était capable du pire.

« Elle est partie chez la baronne ! Elle voulait absolument savoir... »

Il bondit sur ses pieds et fila dans sa chambre pour se rhabiller. Attrapant sa redingote, il tenta de se raisonner. Frau Zamenkof avait dû accueillir la jeune fille et dissiper ses doutes. Elles étaient sûrement en train de prendre le thé, de vanter les mérites de Sigismond...

Pourtant, il ne parvenait pas à maîtriser le tremblement qui agitait ses membres. Et si Elsa avait eu raison ? Venait-elle de se précipiter dans les griffes d'Aleister Laughton et de ses serviteurs ?

La neige s'était mêlée à la terre, et une carapace brunâtre recouvrait la Schwarzenbergplatz. Le précepteur sauta du tramway, la peur au ventre. Il avait traversé la ville comme un rêve. Les wagons aveugles lui avaient semblé glisser à travers le brouillard sur des vagues de boue.

Il frissonna en levant les yeux sur les fenêtres sombres de l'hôtel particulier de Frau Zamenkof. Surmontant son appréhension, il traversa le vestibule.

Il frappa plusieurs fois, cognant de plus en plus fort sur la porte, mais personne n'apparut. Ni la baronne, ni son invisible homme à tout faire.

– L'acolyte de Stosswaffen, souffla-t-il en comprenant son erreur. C'était en fait le domestique de la baronne, celui qu'elle a appelé Lothar !

Valentin sentit l'angoisse lui nouer un peu plus les entrailles. Sans réfléchir, il tira de la poche de son veston un bout de fil de fer qu'il gardait toujours là. En glissant son outil rudimentaire dans la serrure, il se souvint de la dernière fois où il avait crocheté une porte : c'était à Londres, pour forcer l'entrée du manoir d'Aleister Laughton.

Avant de s'enfoncer dans les ténèbres du couloir, le jeune homme pria pour ne pas avoir à affronter ce soir le même cauchemar.

Il retint son souffle et avança à tâtons. Les portes se succédèrent sous ses doigts, mais il n'en ouvrit aucune. Obéissant à son instinct, il s'approcha lentement de la pièce où la baronne s'était isolée avec Stosswaffen. Aucune lumière n'en filtrait. Il se faufila à l'intérieur.

Après un temps infini, immobile dans le noir à écouter le moindre bruit, il se décida enfin à allumer une lampe.

Le tableau fut la première chose qu'il remarqua. Il n'y avait aucun doute : c'était bien un portrait de

Frau Zamenkof. Werner Klaun l'avait croquée dans une position indécente, soulignant ses formes décharnées. Les couleurs verdâtres utilisées par l'artiste rappelaient étrangement celles des toiles de ce pauvre Stefan. Le corps maigre et torturé de la baronne lui donnait un air presque inhumain.

Valentin s'ébroua pour chasser cette illusion et examina la pièce. C'était un salon richement meublé : un fauteuil dans chaque coin, une armoire en chêne, une table de travail, quelques chaises...

Le jeune homme s'assit derrière le bureau. Il caressa fébrilement le sous-main de cuir avant de l'ouvrir. Une lettre était cachée sous le rabat. Les mots filaient sur la page, tout droit venus des enfers. Cette écriture serrée et frénétique, le garçon ne la connaissait que trop bien : c'était celle d'Aleister Laughton !

« Paris, le 25 décembre.

Notre victoire, celle que nous préparons depuis si longtemps, est imminente. Après quelques petits ennuis, j'ai enfin récupéré le manuscrit ultime. Depuis un mois, je le décrypte, je le dévore. J'ai tellement attendu cet instant ! Aujourd'hui, je sais tout. Je maîtrise les secrets qui ont traversé les

siècles. Je suis prêt pour lancer le grand rituel...
Grâce à moi, les portes du monde de l'Invisible
vont s'ouvrir.

Prague, Moscou, New York... Je vais prévenir
toutes les loges de se tenir prêtes à la grande fusion.
L'avenir du genre humain est désormais entre mes
mains.

Cependant, la lecture des *Manuscrits d'Elfaïss*
m'a appris l'existence d'une prophétie, d'un contre-
sort. Il est dit qu'un de mes fils pourrait empêcher
l'avènement de l'ère de l'Indicible. Stefan est le
dernier de mes enfants qui soit encore en vie. Vous
devez donc l'éliminer au plus vite. Une fois cela
fait, plus rien ne pourra nous arrêter.

Préparez-vous à recevoir mes instructions pour
le grand jour. »

— Non ! gémit Valentin en s'écroulant dans son
siège.

Il serra les poings jusqu'au seuil d'une douleur
insoutenable.

— La date..., balbutia-t-il en fixant l'en-tête de
la lettre. Cela signifie...

Il inspira profondément :

— Cela signifie que mon père est vivant !

Surmontant sa répulsion, il se força à relire la missive. Les dires d'Aleister confirmaient ses plus vieux soupçons.

– Il ne sait pas que maman était enceinte quand il l'a abandonnée.

Valentin regarda de près le cartouche qui signait le courrier. Déchiffrant un à un les hiéroglyphes, il pensa avec tristesse à sa pauvre mère, qui lui avait transmis sa passion pour la culture égyptienne.

– Ankh-n-Khonsu, lut-il à haute voix. Cela ressemble à un nom de prêtre... Sûrement un pseudonyme.

Un puissant sentiment d'angoisse étreignit son âme. Elsa ne s'était pas trompée.

Laughton était en vie, et la baronne travaillait avec lui à un plan mystérieux. Ils avaient assassiné Stefan. Leurs croyances n'étaient que chimères, mais ils étaient prêts à toutes les infamies. La mort avait déjà fauché tant d'innocents sur le chemin d'Aleister !

Valentin remarqua une enveloppe cachetée dans le sous-main. Il la saisit et la fit tourner entre ses doigts. Elle était adressée à un certain Heinrich von Dorne, habitant le quartier de Saint-Germaindes-Prés, à Paris. Mais le garçon ne fut pas dupe : c'était la réponse de la baronne à Laughton.

« Combien de fausses identités a-t-il endossées ? » songea-t-il, rageur, en ouvrant le billet.

« Vienne, 2 janvier.

Maître,

Il en a été fait selon votre volonté. J'ai moi-même réglé le problème : Stefan n'est plus.

J'attends maintenant avec impatience vos instructions. J'ai senti qu'il s'était passé quelque chose : le portail brille de mille feux. Je peux deviner mes frères de l'autre côté, glisser mes bras et caresser leurs gueules. Ils piaffent d'impatience de me rejoindre, mais pour le moment la magie de la porte est trop faible. Elle ne peut être franchie depuis le monde Invisible. J'ai hâte que cela soit possible...

Sachez que nos disciples sont maintenant nombreux. J'ai bien eu quelques problèmes avec des faibles qui n'ont pas supporté la révélation. Ils ont perdu la raison, et j'ai été obligé de m'en débarrasser. Cela est maintenant du passé.

J'ai capturé aujourd'hui une jeune fille qui voulait se dresser sur notre chemin. Quelle présomptueuse ! Mais nous pouvons nous réjouir, Maître. La petite a le don, et dès ce soir elle deviendra des nôtres.

Je célébrerai ses fiançailles avec l'Indicible ! »

Valentin se mordit la lèvre. Il ne comprenait rien à ces élucubrations, mais une chose était claire : Frau Zamenkof avait enlevé Elsa, et la vie de la jeune fille était en danger !

Soudain, la porte de l'appartement claqua.

Instinctivement, le jeune homme attrapa le long coupe-papier posé sur le bureau et souffla la flamme de la lampe à pétrole. Il eut tout juste le temps de se blottir derrière un fauteuil avant l'arrivée du serviteur.

Lothar huma l'air plusieurs secondes en tordant sa face comme une bête à l'affût, sans doute intrigué de trouver la porte d'entrée ouverte.

Pourtant, il finit par hausser les épaules et s'approcha de l'armoire. Il en tira une longue cape noire et un masque blanc, puis sortit sans se retourner.

Les mains crispées sur son arme de fortune, le précepteur attendit que le silence retombe.

Il quitta sa cachette et se précipita sur le bahut. Plusieurs costumes identiques y étaient suspendus. Il s'empara de l'un d'entre eux et se rua vers la sortie.

– Je dois le suivre, murmura-t-il. Il va me guider jusqu'à Elsa.

Il ne se doutait pas que cette filature le mènerait jusqu'aux portes des Enfers...

20

Valentin jaillit dans la rue, à bout de souffle. Il vit le serviteur disparaître dans une voiture fermée. Le cocher, entièrement vêtu de noir, coiffé d'un haut-de-forme de soie, fouetta les chevaux d'un geste étrangement lent.

Le précepteur courut pour héler un fiacre de l'autre côté de la place et ordonna au conducteur de suivre la berline.

Ils longèrent le jardin du Belvédère et s'engagèrent dans les faubourgs. Une fois assuré que le véhicule de Lothar était bien en vue, Valentin se laissa retomber sur la banquette, l'esprit en proie à d'horribles questions. Que signifiait le délire mystique d'Aleister Laughton et de la baronne ? Quel sort ces illuminés réservaient-ils à Elsa ?

Plus il tentait de décrypter la face cachée de cette histoire, plus il se rappelait les mises en garde de la jeune fille. Avait-elle réellement des dons de médium qui lui avaient permis de démêler cet écheveau macabre ? Était-elle capable de voir les esprits qui habitent ce monde invisible dont parlait la missive d'Aleister ? Les créatures ignobles peintes par Stefan existaient-elles vraiment ?

– Alors, Frau Zamenkof est l'un de ces monstres..., gémit Valentin.

Un violent cahot le ramena à la réalité. Ils avaient quitté la route pour s'engager dans une voie de traverse. Il avisa en contrebas les lumières de la ville qui brillaient dans la nuit. Des nuages violets couraient dans le ciel. Se penchant par la portière, il remarqua que plusieurs voitures suivaient. Ainsi, le cocher de Lothar ne se méfierait pas de lui.

Il vérifia si le coupe-papier dérobé chez la baronne était toujours glissé dans sa ceinture. Il n'avait aucune idée de ce qui l'attendait dans cette villa dont il voyait les contours émerger des ténèbres.

Aleister Laughton avait ordonné la mort de Stefan à cause d'une prophétie. Ce monstre avait fait tuer son propre enfant pour s'assurer que personne ne viendrait contrecarrer ses plans ! Mais il ne savait pas que le jeune homme aux cheveux blancs et au regard si semblable au sien qui l'avait précipité dans la Tamise était son fils. Il n'allait pas tarder à l'apprendre !

Le fiacre s'arrêta.

Le précepteur regarda la berline de Lothar franchir les grilles du jardin et plonger dans les ombres. Les autres équipages descendirent le même chemin.

– Je ne peux plus reculer, frissonna-t-il en passant sa cape doublée d'hermine. Je dois sauver Elsa.

Il rabattit le capuchon sur sa tête et mit pied à terre.

Il demanda au cocher de l'attendre plus haut, sur la route principale, aussi longtemps qu'il le faudrait. L'homme ronchonna, mais quelques billets dissipèrent sa mauvaise humeur.

Valentin passa son masque et s'avança dans l'allée éclairée par des flambeaux. Deux domestiques en livrée, masqués, gardaient la porte de la villa.

– Le mot de passe, Monsieur ? chuchotèrent-ils à l'unisson.

Le garçon s'entendit prononcer, comme s'il avait toujours su la réponse :

– Elfaïss.

Les deux battants s'ouvrirent alors sur un vestibule, dévoilant une scène irréelle. Plusieurs silhouettes patientaient dans la pièce faiblement éclairée. Toutes étaient travesties de la même façon. Une longue cape noire avec un capuchon et un masque blanc. Leurs conversations se mêlaient à une musique d'église venue de nulle part.

Valentin recula dans l'ombre. Son déguisement lui assurait l'anonymat, mais il ne pouvait pas trop se montrer. Si quelqu'un lui adressait la parole, il ne saurait longtemps faire illusion.

Un valet apparut bientôt et poussa une lourde porte de chêne. Les modulations suaves de l'orgue s'amplifièrent. Les invités glissèrent un à un à travers le passage.

Le précepteur attendit d'être seul pour s'avancer. Il se retrouva dans une grande salle ronde aux murs recouverts de soie rouge. Une cinquantaine de personnes masquées étaient présentes. Réunies par petits groupes, elles conversaient à voix basse. Deux d'entre elles regardèrent le nouveau venu, puis se détournèrent.

S'efforçant de prendre un air désinvolte, Valentin longea lentement les parois. Il remarqua l'escalier qui menait à un balcon dissimulé derrière une lourde tenture, frappée d'un immense symbole couleur sang : un œil oudjat.

Les yeux rivés sur ce signe surgi de son passé, il sentit quelqu'un le frôler. Le convive lui adressa un signe de tête. Le jeune homme devina derrière le masque un regard pénétrant. Tendu, il répondit de la même façon et continua son chemin.

« Où suis-je ? pensa-t-il. Qui sont ces gens ? »

Il croyait maintenant reconnaître des silhouettes, des yeux, des gestes. Il était persuadé que ces masques dissimulaient des visages familiers : Catherine Schratt, l'actrice et la maîtresse de l'empereur, Arheim, l'officier de police, Lothar, le serviteur de la baronne... Tous ceux qu'il avait rencontrés depuis son arrivée à Vienne ne semblaient-ils pas jouer un rôle, cacher leur véritable identité ?

Cette assemblée lui renvoyait l'image de la mascarade qu'était sa propre vie. Il avait fait exactement la même chose en se mêlant à la haute société de Londres, en taisant son passé à tout le monde... et surtout à Elsa.

Valentin sentit le parfum, étrange et lourd, qui flottait dans la pièce. Plusieurs braseros rougeoyaient, libérant des volutes bleutées. Les vapeurs d'opium lui tournaient la tête ; l'atmosphère de folie qui régnait sur les lieux lui faisait perdre pied.

Les voix éthérées de chanteuses invisibles rejoignirent soudain les accords de l'orgue pour former une litanie païenne. La foule, électrisée par cette incantation, s'aligna devant le balcon. Comme un seul homme, les disciples levèrent les bras en un geste de vénération. Un tatouage infâme marquait leurs poignets. Leurs chairs avaient été brûlées au fer rouge pour dessiner un œil oudjat.

Ils lancèrent des incantations dans une langue inconnue.

Et la tenture masquant le balcon tomba.

Valentin suffoqua en découvrant Elsa, bâillonnée et attachée à un poteau. Elle était plongée dans une profonde torpeur. À ses côtés se tenait une silhouette vêtue d'une toge blanche. Les yeux noirs du Pharaon brillaient derrière son masque d'or.

21

— Prosternez-vous devant l'envoyé de l'Indicible !

La voix du Pharaon fit vibrer l'assemblée. Tous les disciples s'agenouillèrent, face contre terre.

Valentin réagit juste à temps pour suivre le mouvement. À bout de forces, il se laissa tomber. Il resta le visage plaqué au sol, tentant de rassembler ses esprits. « Le timbre est féminin, pensa-t-il. Ce n'est pas Laughton, mais la baronne ! »

Le précepteur sentait sa raison s'évanouir. Il aurait voulu fuir ce cauchemar, se réveiller. Mais le chant qui montait dans la salle lui rappelait que cette cérémonie était bien réelle. Les accords de l'orgue devenaient dissonants ; les cris stridents des convives fusionnaient en une complainte démoniaque.

Quel sort ignoble réservait-on à Elsa ?

Il se mordit la lèvre et leva légèrement la tête.

— Le grand jour est proche ! vociféra le Pharaon. La nouvelle ère que nous préparons depuis des millénaires...

Les adeptes répondirent en chœur par un murmure sourd.

— Les secrets confiés à Elfaïss par l'Indicible sont maintenant les nôtres. Le Maître a retrouvé les Manuscrits. Dans peu de temps, il réveillera notre dieu, et les portes du monde Invisible tomberont !

La voix de la baronne était étrangement gutturale. Les accents hypnotiques résonnaient dans la tête de Valentin, s'insinuaient dans son esprit, l'embrumaient. Il commençait à oublier pourquoi il était là.

Il se força à poser le regard sur la silhouette inerte d'Elsa. La vue de la jeune fille agit sur lui comme un électrochoc. « Je dois préparer un plan d'action, se reprit-il, et vite ! »

Il examina la foule, repéra les moindres détails de la pièce. La situation semblait sans issue. Il s'était jeté dans la gueule du loup. Seul contre tous ces fanatiques, il ne pourrait pas sauver Elsa.

Il allait assister impuissant à sa mort... ou pire encore.

– Le grand jour venu, vous, fidèles, accueillerez mes frères dans votre chair! psalmodiait la silhouette perchée au balcon. Ils aspireront vos âmes et habiteront vos corps! Vous serez les premiers à consommer votre mariage! La race humaine s'effacera peu à peu pour laisser place à son successeur!

Derrière Elsa et le Pharaon, le mur se mit à briller d'une lumière aveuglante. Valentin comprit soudain que plus rien ne serait désormais pareil. Il allait être témoin d'une manifestation surnaturelle qui détruirait toutes ses certitudes.

Les créatures de Stefan, les pouvoirs d'Aleister, le plan délirant de sa secte... Tous ces cauchemars prenaient corps!

– Fêtons cette nouvelle historique par l'intronisation d'une adepte! Cette jeune fille a le don, l'Indicible lui parle... Qu'elle soit des nôtres!

La scène se jouait maintenant devant un décor invraisemblable. À la place de la paroi, une surface visqueuse et noirâtre ondulait, comme un océan de goudron. Une force invisible empêchait les flots hideux d'envahir la villa.

La baronne caressa le mirage en grognant. Sous ses doigts décharnés, des formes indistinctes poussaient en vain sur le portail magique.

– Patience ! siffla-t-elle. Bientôt, plus rien ne vous empêchera de me rejoindre...

D'un geste sec, elle plongea les bras dans les ténèbres. Un rire inhumain s'échappa de sa gorge lorsqu'elle les ressortit. Ils s'étaient transformés en des appendices longs et verdâtres.

D'un coup de griffe, elle déchira sa tunique, révélant un corps en proie à d'horribles mutations. Ses os craquaient, ses chairs se déchiraient.

Les adeptes se levèrent et entamèrent une danse frénétique. Au milieu de cette foule hallucinée, Valentin ouvrit la bouche en un cri muet. Le spectacle était trop épouvantable pour la conscience humaine ; pourtant, il n'avait pas fait flancher son esprit. Son âme vibrait d'une détermination farouche.

Rien ne l'arrêterait tant qu'il n'aurait pas sauvé Elsa.

Il détourna la tête de cette apparition tout droit sortie d'un tableau de Stefan et recula lentement pour se coller contre le mur. Figé dans l'obscurité, il évalua la distance qui le séparait de l'escalier. Ses chances d'arriver à l'étage sans éveiller l'attention étaient maigres, mais il n'avait pas le choix. Il regarda une dernière fois Elsa pour se donner le courage d'agir. Ligotée au pilori, la jeune fille avait les yeux dans le vague. Il était impossible de savoir si elle était consciente, si elle vit l'horreur qui apparut quand la créature tomba son masque d'or.

Le visage de la baronne était parcouru de spasmes. Ses traits se tordaient, sa bouche s'allongeait en une gueule aux crocs acérés.

– J'espère que tu es digne de mon peuple ! glapit-elle en s'approchant d'Elsa. Puisse ton esprit supporter la vision du monde Invisible !

Le précepteur s'élança à travers la foule des disciples en transe. Hélas, une main le tira en arrière au moment où il posait le pied sur la première marche. Sa cape glissa de ses épaules, et il tomba.

Le valet qui l'avait intercepté écarquilla les yeux derrière son masque blanc. Dans l'action, les manches de Valentin étaient remontées le long de ses bras, découvrant ses poignets vierges de toute marque.

– Alerte ! Un intrus !

Paniqué, le garçon avisa un brasero. Il se releva d'un bond et projeta la coupe remplie de braises sur son agresseur. L'homme ne comprit pas tout de suite ce qui lui arrivait. Ce ne fut que lorsque les flammes crépitèrent sur son vêtement qu'il hurla de terreur. Transformé en torche humaine, il s'élança à travers la pièce en heurtant les murs. Sur son passage, d'immenses pans de soie rouge, qui tombaient du plafond, s'enflammèrent en un éclair.

Valentin gravit les marches à reculons, prêt à affronter les poursuivants. Mais personne n'était là pour l'arrêter. En quelques secondes, la salle s'était trouvée cernée de murailles de flammes. Possédés, les disciples continuaient à psalmodier, à tourbillonner en une danse infernale. Un à un, ils prenaient feu comme des fétus de paille ; on aurait dit des démons hurlant au sein des Enfers.

Arrivé sur le balcon, Valentin fit volte-face.

L'hideuse créature l'attendait en grognant. Ses yeux immenses brillaient de cruauté. Elle tenait le cou d'Elsa serré entre ses griffes.

– Notre précepteur ! gargouilla-t-elle. Vous n'auriez jamais dû venir jusqu'ici !

La chaleur était maintenant insoutenable. Le jeune homme cligna des paupières afin de chasser les gouttes de sueur qui troublaient sa vue. L'incendie éclairait le monstre d'une aura diabolique. Sa transformation était complète. Accroupi, il se lécha la gueule et ricana en comprimant un peu plus la gorge d'Elsa.

– Pourquoi ? hurla Valentin. Vous avez tué votre propre fils !

– Pauvre imbécile ! Vous ne pouvez pas comprendre... De toute façon, oubliez Frau Zamenkof : cela fait bien longtemps que j'ai dévoré son âme et investi son corps. Quant à son rejeton, il mettait le plan en péril.

La bête désigna le portail magique qui ondulait derrière elle. Les monstres tentaient de déchirer la surface avec des gestes rageurs.

– Plus rien ne peut empêcher le Maître d'accomplir le rituel ultime !

Valentin inspira profondément avant de parler :

– Malheureusement pour vous, il ne sait pas qu'un autre de ses fils est encore en vie...

Intriguée, la créature lâcha Elsa et s'avança d'un pas. Elle retroussa les babines en regardant le visage du précepteur, sa chevelure :

– Si ce que vous prétendez est vrai, alors vous ne me laissez pas le choix...

Valentin profita de l'occasion et se jeta, tête baissée, sur la bête.

Elle esquiva avec une rapidité stupéfiante. Aussitôt, elle le balaya d'un bras en poussant un formidable rugissement. La violence du choc souleva Valentin dans les airs. Il heurta de plein fouet la rambarde du balcon et bascula dans le vide.

Il vit exploser une myriade d'étincelles. En dessous, les flammes crépitaient. Il s'était agrippé *in extremis* à la balustrade. Ses muscles tétanisés vibraient de douleur.

La créature se déplaça sur ses jambes torses. Sa tête difforme oscillait de plaisir. Elle découvrit ses crocs et sortit sa langue pour lécher la main gauche de Valentin.

Il hurla sous la brûlure de l'acide et retira sa main. Pendant une seconde, il crut qu'il allait lâcher prise et s'écraser au cœur du brasier. Son bras droit se raidit, ses doigts glissèrent sur le garde-fou, mais il tint bon.

– C'est dommage, ricana la bête en se penchant sur lui. Vous étiez si délicieux !

En un éclair, Valentin sortit le coupe-papier de sa ceinture et frappa. Le monstre hurla lorsque la lame s'enfonça dans son cou. Il recula, ramenant avec lui le garçon agrippé à son arme.

Les combattants s'abattirent ensemble sur le balcon. Le jeune homme tira de toutes ses forces pour dégager son poignard coincé dans les chairs immondes. Le fluide translucide qui jaillissait de la blessure poissait ses doigts, et l'arme lui échappa. Elle rebondit sur le sol et tomba derrière la porte de ténèbres.

« C'est ma seule chance ! pensa Valentin. La baronne disait dans sa lettre à Aleister que le passage ne fonctionnait que dans un sens. Si je la pousse à travers, elle restera bloquée de l'autre côté. »

La créature se releva, prête à dévorer sa proie. Porté par une force extraordinaire, le précepteur se rua sur elle. Il la percuta de tout son poids et la projeta en arrière. Le regard du monstre s'éclaira d'une lueur hagarde lorsqu'il comprit son erreur.

Son cri s'évanouit quand il disparut dans l'océan de goudron.

La villa craquait de toutes parts. Le feu s'était propagé jusqu'à la charpente, qui menaçait de s'écrouler. Valentin se précipita pour détacher Elsa. Il la bascula sur son épaule et se rua vers l'escalier. Dans son dos, la voix de la baronne filtra à travers le portail :

– Notre victoire est inéluctable. Le Maître connaît le rituel, il va le lancer... Alors, je reviendrai pour dévorer votre âme !

Sans se retourner, Valentin s'enfonça dans la fournaise.

22

Valentin pressa son front brûlant contre les carreaux du salon. Dans la pâle lueur de ce matin de janvier, les passants allaient et venaient sous les arcades de la Reichratstrasse. Des voitures fermées s'aventuraient sur la chaussée glissante, laissant derrière elles deux rubans sombres dans la neige. La tempête s'était arrêtée, et la vie avait repris ses droits. La ville bruissait d'une activité ordinaire. Pourtant, ces gens, ces immeubles semblaient étrangers au garçon. À ses yeux, la réalité n'avait maintenant pas plus de consistance qu'un décor de théâtre.

Le vent était tombé brusquement, la nuit même où il avait ramené Elsa à la maison. Depuis, des images de sa fuite l'obsédaient, comme les bribes d'un rêve lancinant. Le brasier, l'odeur des chairs calcinées... Il était incapable de se rappeler comment il avait réussi à échapper aux flammes et à rejoindre sa calèche. Malgré ses vêtements déchirés et ses traits hagards, le cocher n'avait posé aucune question. Ne voulant surtout rien savoir, l'homme avait fui du regard le corps inerte de la jeune femme.

La voiture avait filé à travers les ombres, l'incendie s'était perdu dans les ténèbres.

Le précepteur avait retenu son souffle jusqu'au moment où il avait retrouvé l'appartement. Il avait pris conscience de l'état d'Elsa lorsqu'il l'avait allongée sur le canapé. Il avait cru son élève évanouie, mais ses yeux étaient grands ouverts. Ils brillaient d'un reflet vitreux, fixant un point à l'infini. Valentin lui avait parlé, l'avait secouée. En vain. Elle était restée inerte.

— Et elle n'est toujours pas sortie de sa torpeur, chuchota-t-il en émergeant de ses pensées. J'ai tout tenté, mais elle n'a pas dit un mot, elle n'a pas bougé.

Trois fois, il s'était couché en espérant, au matin, constater que cette aventure n'était qu'un vilain cauchemar. La cérémonie, la baronne se transformant en une créature ignoble, la porte sur un autre monde... Ce ne pouvaient être là que des illusions. Mais, trois fois, il s'était levé précipitamment et avait retrouvé Elsa dans le même état d'hébétude. Une coquille vide. Un corps sans âme.

Valentin grinça des dents. La douleur qui lançait dans sa main gauche lui rappela l'horreur de ce qu'il avait vécu. Sous le pansement, la salive du monstre brûlait encore ses doigts.

– C'est ma faute, gémit-il en fermant les yeux. Tout est ma faute...

Il sursauta en sentant une main se poser sur son épaule. Il n'avait pas entendu le diplomate arriver dans son dos. Sigismond resta silencieux et contempla un moment l'activité extérieure. Depuis son retour, il semblait avoir vieilli. Ses traits étaient plus tirés, ses cheveux plus gris. Sa bonne humeur s'était envolée, pour laisser place à une désolation intérieure.

– Je suis désolé, Monsieur Bailly, mais je vais devoir me séparer de vous, murmura-t-il d'une voix blanche.

Valentin se cramponna au montant de la fenêtre. Il savait cette issue inéluctable et trouvait même le châtiment bien maigre par rapport à sa négligence.

« S'il savait ! pensa-t-il en frémissant. Dois-je lui raconter cette nuit cauchemardesque ? »

Mais il n'en trouva pas la force.

Comment Sigismond pourrait-il croire à cette histoire ? Le précepteur lui-même ne parvenait pas à l'accepter. Pourtant, il sentait l'odeur étrange qui flottait autour de lui, un fluide invisible et sombre. Il avait vu des choses qu'aucun mortel ne devait voir. Ces créatures venues d'un autre monde l'avaient marqué, elles avaient apposé leur sceau sur sa chair. Il aurait beau s'enfuir, disparaître... Son destin demeurerait à jamais lié à elles, à Aleister et à son plan diabolique. « Si je ne m'étais pas endormi, si je l'avais surveillée..., songea-t-il avec désespoir. Rien de tout cela ne serait arrivé. »

– Me permettez-vous de la voir une dernière fois ?

– Oui. Quand le docteur Fliess aura fini de l'examiner. Après, vous ferez vos bagages. Vous trouverez votre solde dans une enveloppe que j'ai laissée à la cuisine.

Valentin retint sa respiration en entendant la porte de la chambre d'Elsa s'ouvrir. Un instant, il espéra que la jeune fille allait apparaître sur le seuil. Il aurait tant voulu voir ses peurs balayées par son visage tendre, son sourire espiègle ! Mais il n'en fut rien. Joseph Fliess s'avança, la mine grave, et hésita un long moment avant de donner son diagnostic.

– Je suis désolé, Messieurs, finit-il par lâcher, mais je vous dois la vérité. Mademoiselle de Costières a subi un choc émotionnel très important. Elle reste prostrée dans une sorte de torpeur hypnotique.

– Bon sang ! rugit Sigismond. Mais pourquoi ?

Le médecin haussa les épaules en signe d'impuissance.

– Je suppose que les drames récents l'ont bouleversée. Elle a dû aussi cauchemarder... Vous m'avez bien dit que vous l'avez trouvée ainsi à son réveil, le lendemain du départ de Monsieur ? demanda Fliess en se tournant vers le précepteur.

Valentin resta muet. Il devait mentir. Il ne pouvait confier ce mal à d'autres, les contaminer. Il hocha la tête.

– Votre fille est quelqu'un de très sensible, continua le psychiatre à l'attention de Sigismond.

Elle s'est heurtée à trop d'événements effroyables en quelques jours.

Meurtri au plus profond de son âme, le diplomate attrapa le bras de Fliess :

– Dites-moi qu'elle va guérir, je vous en prie !

– Je ne peux vous l'assurer. C'est possible, mais elle aura besoin de calme, d'aide et d'attention. Cela peut prendre beaucoup de temps, voire ne jamais arriver.

Le visage du diplomate s'éclaira d'une détermination étonnante :

– Pour commencer, nous allons rentrer à Paris. Elsa se sentira mieux chez elle.

– C'est une très bonne idée. Il est important qu'elle ait des repères qui la ramènent à la réalité. Les souvenirs de son enfance l'aideront... Je vais vous donner l'adresse d'un de mes collègues à Paris.

Valentin regarda les deux hommes rejoindre le salon en discutant. Une fois seul, il ouvrit la porte de la chambre d'Elsa et s'avança dans la pénombre. Il s'assit sur un fauteuil à côté du lit de la jeune fille.

– Pourquoi ? enragea-t-il alors qu'une larme coulait sur sa joue.

Valentin était le seul à connaître la véritable nature du mal qui avait fait perdre la raison à Elsa. Comme elle, il avait connu l'enfer, vu des horreurs innommables qui attendaient tapies dans les ténèbres.

Il ne comprenait pas tout, mais une chose était sûre : le cauchemar commençait tout juste, et personne d'autre que lui ne pouvait le faire disparaître.

– Je vous sortirai de là ! jura-t-il en se penchant sur le lit. Je vous en fais la promesse.

Mais Elsa ne l'entendit pas. Elle restait immobile comme une statue de glace, la bouche ouverte sur un cri muet. Ses yeux fixes ressemblaient à ceux d'une poupée de porcelaine.

Épilogue

Valentin était assis sur le banc d'un wagon de troisième classe. Les yeux dans le vague, il observait les derniers voyageurs qui se pressaient sur le quai et prenaient le train d'assaut. La locomotive avait sifflé trois fois, annonçant le départ imminent.

La mort dans l'âme, le jeune homme avait dû vendre tous ses livres afin de payer son billet pour Paris. Il allait rentrer chez lui, se confronter à ce passé qu'il avait fui. Il avait tellement changé depuis ce jour où il avait abandonné les forces anarchistes, pour prendre la route de Londres sur les traces de son père ! Ce père qui s'était révélé être un monstre illuminé.

– Tout a commencé à Paris, tout finira à Paris, songea-t-il.

Il pressentait qu'Aleister se préparait à commettre un acte irréparable. Quelle était la raison d'être de la secte qu'il dirigeait? Cette organisation impie pourrissait-elle vraiment les entrailles de toutes les grandes villes du monde? Quel pacte démoniaque avait-elle passé avec les créatures d'une autre dimension?

Valentin secoua la tête. Il saurait bien assez tôt. La confrontation avec Aleister, avec les secrets des *Manuscrits d'Elfaïss* était inévitable.

– Quand tout sera fini, j'espère seulement qu'Elsa oubliera ce monstre et guérira.

Comme un écho à ses pensées, il aperçut Sigismond qui remontait le quai. Il poussait devant lui une chaise roulante où était installée sa fille. Le visage de la jeune femme n'était plus qu'un masque inexpressif.

Incapable de supporter ce spectacle douloureux, Valentin détourna le regard. Il tira de la poche de son veston la lettre qu'il avait dérobée chez la baronne. Il lut plusieurs fois l'adresse parisienne à laquelle se cachait Aleister Laughton sous un pseudonyme.

– Je vais le faire payer pour tout ce mal qu'il sème sur son passage...

Vous trouverez la suite des aventures
d'Elsa et Valentin dans le tome 3
des Manuscrits d'Elfaïss.

*Cet ouvrage a été composé et mis en pages
par DV Arts Graphiques à Chartres*

Impression réalisée sur CAMERON par

BRODARD & TAUPIN

GROUPE CPI

La Flèche

*pour le compte des Éditions Bayard
en février 2002*

Imprimé en France
Dépôt légal : février 2002
N° d'Éditeur : 7158 – N° d'impression : 11250